영원아.

영원아.

발　행 | 2024년 07월 24일
저　자 | 지수
펴낸이 | 한건희
펴낸곳 | 주식회사 부크크
출판사등록 | 2014.07.15.(제2014-16호)
주　소 | 서울특별시 금천구 가산디지털1로 119 SK트윈타워 A동 305호
전　화 | 1670-8316
이메일 | info@bookk.co.kr

ISBN | 979-11-410-9659-5

www.bookk.co.kr

영 원아.

저자. 지수

차례

우리는 동심 속 반항아였다.

.영원아

20XX.10.18
우리의 방세(芳歲)는 고독이 더 두터운 이기적인 동화라고 할 수 있다.
더구나 나에게서 동화라고 하면, 오직 그 아이이기 마련이다.
마지막 장의 출처는 그 아이였으면 완벽할 것 같아서.
다른 이들은 거두지도 못한 아름다움의 장식.

끝을 찾기 위해.
나의 한계를 뛰어넘기 위해.
가슴에 칼을 꽂는 한이 있어도
그 피를 흘리지 않기 위해.
만약 흘려도 그것들을 다시 몸 속에 넣기 위해.
지쳐 기절해도 숨을 고르게 쉬어야만 했다만
오늘 날씨가 안 좋아서 넘어지고 말았다.

내가 넘으려던 것은 무엇인가?
난 누구를 막고있던 건가?
내가 가지고 있는 건 고작
작은 컵에 흘려내리는 뇌조각과

그 옆 비웃음의 시각화뿐
난 결코 후회였다.
내 몸 전체 골수까지 낙망으로 차있다.
피는 없어진지 한참이다.
이젠 정체모를 검은색 액체만 차있다.
당신이 이 종이를 받는다면,
그때 마주하지 않을까.
그 한계를.
낙관적인 그 웃음의 뒤끝이 있었을까
아니면 사랑의 시작인걸까.

네가 날 미워했을 때,
그러나 또한 좋아했을 때.
서로가 서로에게 구원을 요했을 때,
그래 그때, 그때 내가 너를 떨어뜨려야 했는데.
미련의 말년.

그 원한을 해결함으로써
제 끝은 시작된답니다
그럼 가시는 길 악만이 가득하시길 모두.
영원아 드림.

6월 후반인 만큼 뜨거운 태양.
살결들에 부딪히는 흔들리며 날리는 나뭇잎,
약간의 반항기로 아무도 몰래 교복 안에 사복을 입은
평범한 학생들,
그리고 그 사이 혼자인 나.
헤드셋을 끼고 좋아하는 음악을 들으며
운 좋게 버스의 창가자리에서 앉으면서
창문으로 바깥 풍경을 감상한다.
버스에서 내리면 앞 편의점에서 산 초콜릿을
먹으면서 학교 정문으로 향하면
정말.. 아침준비와 어젯 밤 고민거리도 사라지는
소소한 행복이다.

나는 본업이 있었다.
노래를 만드는 싱어송 라이터였고, 3년동안 하였다.
난 그야말로 천재였지만,
항상 천재는 끝을 보곤 한다.
베토벤은 엄격한 일생을 보내며, 귀의 소음을 잃었고,
세상의 히어로 아인슈타인의 뇌는 박제 되어있음의
이의가 없는 그런 부담스럽고, 부당한 선물인가.
그런 것 말이다.
하지만 내가 천재인가? 라는 물음에서 나는.
결코 그렇지 않다고 말하고 싶다.

핸드폰의 검은 화면이 나의 얼굴을 비추며 드는 생각.
아, 오늘 고데기가 참 잘 되었네.

긴 생머리에 웨이브를 넣어 평소보다 볼륨감이 생기며
얼굴에 자신감이 나타나는 것 같다.
마침 오늘 체육시간이 있어서 묶어야 한다는 것에
아쉬움을 느끼고
이럴거면 화장도 약간 하고올 걸. 이라는
살짝 후회를 하며 역시나 학교에 향한다.
오늘 하루는 좋을 것이다. 물론 그렇다.
몇달만에 학교인데 설마. 안 좋겠어?
아픈 몸을 몇 달이나 갖고 있는 것보다는 괜찮겠지.
내 예상은 틀린적이 없다.

신기하게도 모기 한 마리의 소음도 안들리는,
그저 시곗바늘이 깔딱거리는 소리만이 들리는
나의 교실이다.
7시에는 역시 아무도 없었구나..
하긴 선도부도 없어서 좋긴하다.
“나 좀, 열심히 사는 거 같은데?”
아무도 없는 곳에서 하는 혼잣말은 약간.. 부끄럽다.
깨끗한 책상에 앉아서, 텀블러에 들어있는 물과 함께 약을 먹었다.
이 약은 언제나 씁쓸하구나.. 꼭 먹어야하는 약이지만, 오늘같이
아침에 달달한 것을 먹고 온 날은.. 특히 더 먹기야 싫다.
약을 다 털어놓고서 물 한 모금 더 마셨다. 쓴 맛이 가라앉지 않는다.
약 봉투를 버리고 텀블러를 가방에 다시 놓았다.
이제, 수행평가 준비를 할 것이다.

아직 안 온 친구들의 책상을 보며
가끔씩은 내가 모범생이 된거 같아 희열감을 느낀다.
물론 항상 수행평가 준비는 망하지만..

올해 중간도사도 망했고,
두 번의 모의고사를 보며 불행감만이 반복되었는데.
나는 기말부터 노리기로 했다.
내가 그래도 천재인데. 공부따위 못 하겠어?
'으아아-'
자면서 몇시간 묵은 기지개를 시원하게 피고
거만한 마음가짐으로 볼펜을 가진다.
"아...공부.. 진짜 오랜만인데."
헤드셋의 음악을 잔잔한 분위기의 노래로 바꾼다.
수학 기출문제집을 열고 차근차근 풀어보아야지.
첫 번째 문제부터 마지막 문제까지 내 머리를
최대한으로 쓰며 풀었다.
나로서는 어려운 문제도 있었지만 그 만큼 쉬운 문제도
많았으니깐 올해 중간고사보다는 잘 맞을 수 있을거라
생각했다.

음....

내 최대를 담아서 푼 결과, 27점이였다.
믿기 힘들어 두 번.. 세 번.. 여섯 번..답지를 보았지만
달라지는 건 없었다. 끝까지 27이였다..
심지어 중간 성적은 42점. 모의고사는 둘다 30점 대,
심더 처참하며분명 잘 볼 수 있을거라 생각한 내 생각은 저 멀리 날아간다.
시발.. 이럴거면 공부도 할걸. 왜 자만해가지고..
"아니 분명 중1 때 까지만 해도 쉬웠잖아...
왜그러는거야.."
좌절하고 볼펜을 놓고.

이따 올 모범생 옆자리에게 물어보자.
이런 생각을 하며 엎드렸다.
“.... 원래 공부 못한 것이 이렇게 서러웠나..”
범위는 많고, 시험 난이도는 쉽다고 퍼졌지만 쌤들은 거짓말의 장인인 듯
거짓말에 수월한 것, 그런 것들은 원래부터 알고있었다.
내가 서럽고 우울한 건 뜻대로 되지 않은 내 몸뚱아리, 이였다.
“..조금만 잘까..”
긴 눈꺼풀이 무거워지고
팔이 저려오고
분명 눈을 감았다.

켜진 교실 불로 눈 앞이 밝아진다.
오래간만에 느끼는 이 분위기. 이 목소리들 애들이 왔구나.를 느꼈다.
주변이 너무나 떠들썩해졌다. 아.. 몇시인거지...
손목시계로는 8시 25분.
정신도 맑아지고 눈도 좀 떠지니 낮잠에 꽤나 만족적이다.
단점으로는 머리가 산만해진건가..
뭐 어짜피 망가지게 될 운명이였는데, 후회는 없다.
창문으로부터 비치는 하늘을 보니
오늘 날씨가 좋긴 좋구나
이런 날까지 학교에 오다니..
그리고 내가 일어난 걸 눈치 챈 학생들이 내 근처로 다가온다
뭐 다 똑같은 소리.. 오랜만이다.. 몸 괜찮냐..그런거.
그것은 무엇인가.. 사회적 약속인 것 같았다.
“영원아 미쳤네.. 존나 오랜만이야.. 너 안 왔을 때
역사 쌤이랑 진짜 친해졌는데.. 개아깝다..”
“오 김설현 오랜만이다..

오랜만에 봤어도 그 역사쌤 사랑은 여전하네?”
“당연하지! 역사쌤은 내 사랑이야!!”
퍽퍽 하며 내 등을 때리는 그녀의 손.. 무섭다..
“원아야.. 얼마만이야 이게.. 나 너 없어서 너무 심심했어..”
“정경아! 내 짝이 너인데 내가 없어서 심심했겠다..
이제부터 많이 지내자~”
“너무 좋지!!”
그러면서 내미는 따스한 손.
그 손은 나에게 주는 하나의 관심 같았다.
나는 사람의 이름을 잘 못 외우는 편이다.
지금 이 친구들 이름도, 기억은 안 나지만 명찰을 보며
뇌를 꼬집으며 말한 것 뿐더러,
얼마나 심하면 나는 아직 내 부모님의 전화번호, 이름도 헷갈린다.
내가 이름을 외울 때는, 그 사람이 내 인생에서 특별한 영향을 끼쳤거나,
그리고 또는 이름이 엄청나게 특이한 경우이다,
“오, 송목인. 맞지?”
지금도 그렇다 지금 반에 들어온 이 친구는 이름이 특이해서,
간단하다 못해 멍청하게 사는 나다. 항상.
“헐, 나 기억해? 너무 오랜만이다 원아야..”
“응.. 모기 같아서.”
항상 조용히 있던 내가 이런 말을 해서 놀란 것인지,
아이들은 하나같이 행복한 사춘기처럼 웃었다.
그 웃음은 감히 낄 수 없었던, 즐거운 젊음들이였다.

그러다 갑자기 귀에 들려오는 흥미로운 소식 하나.
“아 맞다. 옆 반 어떤 애가 너 보려고 세 달동안이나
우리반으로 찾아왔어!”

그 말은, 흥미롭고도 이해하기 어려웠다.
솔직히 막말로. 거짓말 같았다.
“응..?? 야 서예주 오랜만에 보는데 구라치지말아라.
새학기 초반에 쌤들 몰래 화장하면서 느낀건데,
네가 거짓말 진짜 못하거든? 그래서 나 안속아.”
“야 거짓말처럼 들리긴하는데.. 이거 진짜야..”
이 주제를 말하니깐. 반에 있던 거의 모든 학생들이
우르르 달려왔다.
“아니 걔가 너 좋아하는거 맞다니깐?”
“아니야 걔 이성 관심 없어. 걔 맨날 자기 일만하더라”
“일? 뭔 일인데?”
“걔 뭐.. 음악CD 팔고 책 팔고 그런 곳에서 일하던데”
“오 멋있다.”
‘심지어 걔 작년까지만 해도 기타 전공이여서 거기서
기타도 쳐준대“
”와씨 좆간지야’
“서예주 욕 쉿.”
왜 내 일인데 너희가 더 떠들썩한거야
그것보다 걔가 나한테 무슨 일이길래..
“만약 진짜로 매일 한번이라도 빠짐없이 오는거면
뭐가 있는건데.. 나 심지어 주위에 이성친구
한명도 없어..”
음.......
난 잠시 생각을 하곤, 말을 했다.
“나 찍히는거 아닐까. 약간 무서워.”
“아ㅋㅋㅋㅋ너무 웃기네..ㅋㅋㅋㅋ찍힌대...”
“아니 작작 웃어, 아 아파 나 치지마!”
“아 저 미친새끼들.”

"원아 은근 장난 잘쳐."
라는 내 한 마디에 박장대소하는 친구들.
은근 웃겨서 좋다는 생각이 들었다.
난 내 손에 있는 조각 난 초콜릿을 한 입 먹고는,
약간은 재밌다고. 생각했다.
"야 원아야! 저기 너 계속 찾는 애 왔어!"
"뭐?잠깐만 진짜로 매일 찾아왔던거야?"
어리둥절한 상태로 복도 밖으로 나갔다.
"오~ 영원아! 고백 잘 받고 와!"
아프고 부담스럽다.. 얘들이 등 밀고 그러는거..
밖으로 나가서는 조용한 복도에 우리 둘만 있었다.

그 아이는.. 예상 외였다.
음악CD를 팔고 전 기타리스트란 인상보다는
매일 밤새는 사람같고 예술가 같았다.
긴 다크서클은 눈 밑에 쭈욱 늘려져 있고.
귀에는 피어싱도 했다.
검은 눈, 검은 머리카락과 대비하는 흰 피부도
눈에 정말 띄었다.
그런 신비한 것 같기도 하다.
그 입으로 나에게 무슨 말을 하려는걸까
무슨 사정이길래 나를 몇 달동안 기다린걸까
그는 약간 나를 보며 떠는 것 같았다.
그가 그러는 중에도, 내 속마음은 다크서클이 심하다.
뿐이였다.
결국 못 참은 나는, 그에게 말을 걸었다.
"내가 들은 말로는 너가 날 두달동안 찾았다면서?"
"아, 맞아. 정말 매일매일 빠짐없이 찾았는데 없더라.

병원에서 좀 많이 있었지? 얘들한테 들었어."
"병원에 있는 거 알면서도 자꾸 찾아온거야?"
"응. 내가 좀 끈질긴 편이야."
"음 그러면.. 결론부터 확실하게 말해."
"그건 약간.. 좀 말이 길어지기도 해도 길게 말하는게 좋을 거 같아서. 곤란할 거 같아"
"괜찮아. 내가 긴걸 싫어해."
"아, 그렇다면 너 싱어송 라이터, 다시 해줄래?"
난 잠시 당황하면서 내 귀를 속인 것 같았다.
"뭐 시발???"
"그러게 내가 많이 놀랄 거라고 했잖아..
이유는 너 때문에 우리 가게 수입이 잘 안돼."
머릿 속에는 그 말의 숨은 뜻을 찾는 중 이였다.
스르륵 웃는 얼굴이여서 더 헷갈렸다.
"추가로 나랑 같이 합작하자."
당당한 그의 모습에 할 말이 없어지는 나였다.
"당황했지? 갑자기 이렇게 말해서.."
"황당하기도 했어"
"그래서 내가 길게 말해야 한거야."
"하..알겠어. 말해봐. 길게."
"알았어. 일단 통성명을 해야겠지?
내 이름. 박유환이라고해."
그의 얼굴이 한순간에 환해졌다.
마치 엄마가 사준 생일선물을 본 어린아이같이.
까칠한 인상과는 달리 따뜻한 성격인 듯 하며,
또한 악의 탈은 벗은 선, 같기도 했다.
"일단 난 저기 카페에서 일 하는 사람이야. 뭐 책도 많고 가끔씩 음악 공연도 보여주는? 그런 분위기있는 곳

말이야.”
“멋지네”
“멋지고 나발이고. 나 지금 너가 너무 필요해.”
“그래서 뭔 소리야.”
“나랑 조건 하나 맺자. 지금부터 얘기 시작할게.”

.낙망

20XX.10.14
느끼지 못했습니다. 허나 지금은 이해를 한 것 같습니다.
그는 곧 나를 검은 물에서 꺼내주는 낚시대이자,
또한 나를 죽일 듯이 괴롭히는
하늘의 운명이라는 바늘입니다.
너무나 눈물이 나왔습니다.
멈추지 않았고, 멈추고 싶지도 않았습니다.
소금같이 짠 저는 그저, 꿀같은 잠을 원했을 뿐입니다.
머물고 싶습니다. 달콤한 그의 눈망울에.

그의 진지한 눈을 마주했다.
신비했던 첫인상과 가장 어울리는 표정이다.
아무래도 지금부터의 이야기는 약간 무거워질
예정인 거 같다.
그와 나는 동시에 침을 꿀꺽. 삼키며 긴장을 했다.
그리고 이런 긴장한 분위기 속에, 나는 먼저 말을 꺼냈다.
"일단 네가.. 어떻게 내가 싱어송라이터 인지를 알았는지.

그것이 궁금해. 나는 학교에서는 비밀로 하고 있거든.”
“아, 그거는 그냥.. 작년에 우리가 고1이였을 때, 수련회로 벌칙으로 장기자랑에서 노래를 불렀잖아. 그거 듣고서.. 네가 싱어송라이터인 ‘원아’ 라는 것을 확신했어. 음색도 창법도 비슷했거든!
나, 너 완전 팬이야!”
“어.. 정말..? 그거는 고마워.”
“자 그럼! 흠흠..”
그는 목을 간단히 풀고, 그것을 본 나는. 이제 진짜 본론을 말하는구나. 라고 생각했다.

“일단 내 상황은 이래. 우리 카페에서 종종 기타무대도
펼친단 말이야. 근데 그럴 때마다 난 네 노래를 연주하거든.
근데 너가 그만뒀으니. 약간 형편이 힘들어”
“네 카페와 내 음악이 무슨 관계가 있길래 그래?”
“네 노래를 불러야 사람들이 많이 와. 너도 알지?
너 노래 완벽한걸.”
난 뿌듯하게 미소를 지으며 말한다.
“뭐.. 그렇긴 하지? 나도 몇년 전까지 천재 소리 들었으니!”
나는 신나고 있었고, 기분이 좋아서 나에 대한 것들을
나열했다.
“아니 내가.. 수익도 꽤 있고, 인기도 조금 있는 그런 싱어송라이터지만, 아직은 소속사가 없거든! ”
“좋아, 그 자신감.”
“성인이 되고.. 진짜 소속사를 들어가서, 아무튼 엄청난 사람이 되....려고 했지만..”
그 말을 듣자마자 내 행복했던 표정이 무표정으로 변하였다.
“그 넘치던 자신감 어디갔어. 나는 네 말대로 정말로 엄청난 사람이 되었으면 좋겠는데.. 그래서 다시, 시작해주었으면 좋겠어.”

당연히 가능할 리가 없다. 내가 얼마나 많은 수고를 해왔는데,
처음 만난 남자의 권유로 내가 흔들리고 싶지는 않다.
“안돼겠어 그 조건. 난 못해.”
“잠시만! 아직 다가 아니야!”
내가 실망한 듯 반으로 들어가려 하자, 그는 급하게
나를 다시 불렀다.
“네가 노래를 만들 때 마다, 돈을 줄게!
매출 얼마까지.. 생각하고 있어?”
너무나도 현실적인 그의 협상에 나는 기분이 확 나빠졌다.
나를 그따구로 본 것인가.
“아니 설마 내가 돈 때문에 그만두었겠어? 어이가 없어서.”
“어.. 그렇지 않았어..? 그럼.. 뭐 때문인데?”
“그걸 너한테 왜 말해? 그냥 개인적인 사연때문이야.
그거를 너한테 알려줘야 해?”
“불편하거나 그런거야? 그러면 내가 그거 비밀로 할게! 그러니까..”

갑자기 나에게 찾아와 대뜸 이상한 말을 하는 그를
아니꼽게 보고, 계속 끊임없이 이유를 말하라는 그를 보고,
난 짜증이 몰려와서
“시발! 그냥 지친거라고!”
그만 이유를 말하고 말았다.

그의 고민하는 눈빛이 보인다.
“아, 그런 이유였구나.”
드디어 이해했네. 라는 그의 앞에서 나는 입을 열었다.
“그러니깐.. 내가 못하겠다는거야.”
“너, 생각보다 약한 사람이구나.”
우리는, 이상하게도 동시에 말을 했다.

"뭐.. 라고..?"
충격을 먹은 나는, 당장이나마 그의 멱살을 잡고
때리고 싶었다.
이상한 소리를 지껄인다고, 생각은 했지만 그딴 말을 할 줄은 몰랐다.
"그게 무슨 말이야. 또."
"아..고작 그거 때문에 그런거였어?
생각보다 너무 실망이야."
"미안한데 사과해줄래? 멋도 모르고 날 이해했다
착각하고서는, 나한테 무례야 그거. 실례라고."
"아, 그렇게 느꼈다면 미안한데. 너무 예상과는 달라서.
나는 네가 꽤나 멋있고 강한 사람 인줄 알았어."
"지금은 볼품없고 약한 사람 이란거야?"
"뭐. 내 머리로는 그렇지."
너무 무례하고 쓸데없이 말만 많은 그에게서
짜증나고 분노가 차오르기 시작했다.
"뭐 너가 그러는데.. 곧 수업도 시작하고
네가 화난 상태니까는. 방과후 때, 반에서 기다려.
어디 좀 같이 가자."
라고 하고선, 그는 떠나버렸다.
어이없음이 머릿속에 가득 차서 머리가 아픈 나는
사막 떠돌이 중 갑자기 사파리 나타난
이방인이 된 기분이다.

교실로 돌아오니 친구들이 하는 말,
"고백 어땠어? 걔 얼굴은 꽤 반반한데!"
그 말을 하자마자 그들도 내 굳은 표정을 보며 살짝 당황했었다.
그래. 그들의 시뮬레이션으로는 러브레터.. 그런 것을 받고
신나하는 나니깐 이해가 안돼는 것도 아니다.

“아... 사랑 고백 말고 다른 말을 받았는데..”
그 말이 그들의 호기심을 자극했을까.
“와 진짜?! 뭔데? 사랑 고백이 아닌거면
캐스팅인건가? 아이돌캐스팅!”
“그렇게 멋진 일은 아니였어. 저 개새끼가.. 하...”
그들이 놀라하는 표정이 보인다.
“왜.. 그래..? 그 새끼가 뭐라고 했어..?”
난 싱어송라이터인 사실을 비밀로 두고 있기 때문에,
대충 있던 일을 비틀며 이렇게 말했다.
“이건 개인적인 사연인지라 사실은 못 말하겠는데..
박유환? 걔가 나한테 막 너무.. 약한 사람이다 이러고
갑자기 나한테 꼽을 주는 거 아니야?!!”
너무나 화난 나는, 앞의 책상을 치고, 소리쳤다.
“워..원아야.. 일단 진정을 조금 하고.. 박유환 그 새끼
미쳤네..”
“나도 그래서 지금 빡쳐. 만나자마자 날 이해했다며..
뭐 궁시렁궁시렁..거리던데..”
“그 새끼 생각보다 더 미쳤었네.. 내가 걔랑 작년 같은반이여서 아는
데, 걔는 기타만 사랑하는 사이코야.
전공자였을 때는 정말 예민해서 비위 맞추기 얼마나 힘들었는데.”
화난 얼굴로 말하는 그 애를 보며, 살짝 의문감이 생겨났다.
“음... 분명 기타를 사랑했는데, 그러면 왜 전공 그만뒀던거야? 아는
소문 있어?”
“뭐 돈 문제겠지. 걔네 집 형편이 좋은 것도 아니고.”
“현실적인 문제 때문에 그만두었다는, 그런건가.”
“뭐 걔도 불쌍해. 돈 문제면은 누가 어떻게 할 수도 없는, 사실상 가
장 비극적인 문제잖아.”
그의 상황을 잠시 듣고, 나는 그가 약간 불쌍한 것 같으면서도,

마음 한 편으로는 주먹을 그 애 얼굴로 날리고 싶었다.
“돈이고 기타고 뭐고, 나는 그래도 걔 싫어.
짜증나. 지가 뭔데 날 이해하고 판단해?
내가 노력이라도 안 한 사람처럼 보여?”
“야..진정해.. 걔 원래 그런 애야. 무시해..”
진심어린 그들의 목소리가 내 분노를 가라앉힌 건가.
아니면 곧 담임선생님을 마주해야한다는 것 때문에
이성을 찾은것인가.
그러한 것 덕분에 10분 뒤에, 내 머리의 열을 시켰다.

그렇지만 결국은 본능이 나에게는 우선이였던 것인가.
첫 수업인 국어부터 영어, 미술, 미술, 체육, 역사, 그리고 마지막인 무용수업 까지 나는 전혀 수업에 집중을 못했다.
심지어는 농구부인 애한테 머리를 피구공으로 맞기도 했다.
그 아이에게 사과를 받을 때도, 급식으로 초코 우유가 나올 때도, 내 머릿속은 하루종일 박유환만 있었다.
박유환,, 박유환 인건가..
내가 유일하게 정신을 차렸을 때는, 미술 이동수업 때
그를 마주친거 뿐이다. 심지어 그는 그때 날 보며 웃음을 짓고 있었다.
저거, 날 우습게 생각해서 이러는거야?!
수학시간은 박유환 때문에 발표를 망쳐버려 선생님에게
혼이 났다.
난 학교가 끝나는 시간만을 기다렸다.
어디 그 대단하신 말씀 좀 들어볼까?
드디어 선생님의 긴 공지가 끝나고
들어있는게 별거 없는 백팩을 한쪽으로 매고,

드르륵-

뒷문을 열자마자 박유환이 보였다.

“아 끝났어? 너희 반 왜이리 종례가 늦게 끝나..
기다리다 목 빠지는 줄 알았어.”
저 특유의 웃음이 날 더 짜증나게 한다.
“이제! 나랑 어디 좀 가자.”
그는 내 대답을 듣지도 않은 채 내 팔을 잡아당겼다.
“야.. 뭐하는 짓이야? 팔 놔.”
내가 쿵, 하고 한 말이 그의 눈치를 깨웠다.
“아.. 미안해.. 내가 너무 마음이 급해서 그랬나봐!
그.. 나랑 어디 좀 가줄래..?”
그는 순한 양 같았으며, 미안해 하는 얼굴을 짓고 있었다.
그나마 그 모습이 내 화를 눌러붙였고, 그는
어디론가 가는 버스를 기다린다.
그리고 뒤에서는 웅성웅성 거리는 소리가 들리운다.

‘야, 재네 진짜 사귀는 거 맞다니깐?
데이트 중이잖아~ 막 커플링도 맞추고? 카페도 가고?
물구나무 하면서 봐도 풋풋한 사랑 시작했잖아!’
‘야 원아 개 썩은 표정 안보이냐? 저거 박유환이
뭐 협박같은거 하러가는거야 백퍼.’
‘아니 그러면 왜 원아가 이렇게 가만히 있는건데.
둘이 사랑하는데 우린 좀 빠져주자~’
‘야 사귄다고 해도 영원아가 훨씬 더 아까워.. 박유환은
얼굴만 좀 반반하지 성격은 무슨.. 너무 쓰레기야.’
너희가 하는 말 여기서 다 들려.. 박유환이 듣고 있어..

"하하, 여기서 걔네들 속닥 거리는게 다들리네.. 우리
살짝 옆으로 가서 기다릴까?"
"싫어."
"오 적극적이구나! 음악 만드는 것도 적극적이게 해줬으면 좋겠어!"
'저 새끼 저거 뭐라는거야? 또?'
우리의 대화에, 또 옆 친구들이 시끌벅적 해지기 시작했다.
그의 멘탈과 말투, 그리고 생김새 마저도
곧게 뻗은 나무 같았으며 그 나무는 절대 나무꾼의 의해
망가질 것 같지는 않았다.
"..음.... 너 일부로 그러는거지? 꽤 진짜 잘주네.
그거 재능이야."
"나에게서 재능은 기타빼곤 없어."
"기타도 그다직 재능은 아닌 거 같은데?"
이 말을 그에게서 공격인걸까,
그는 누가 봐도 걸리적거린다. 라는 표정을 짓고 있다.
나는 한 나무꾼이 되어 그 곧게 뻗은 나무를 도끼로 한 방 쳤다.
나무는 반 정도, 금이 나 있는 거 같았다.
자연스레 타야할 버스가 오고
버스를 타며 그의 어깨를 살짝 쳤다.
"빨리 타. 네가 그렇게 말한 곳이 어딘지, 한번 보게."
그의 웃음을 똑같이 재현 한 채로 그에게 말했다.
"알았어, 네가 그렇게 궁금해한다면."
그는 그렇게 말하며 내 옆에 앉았다.
창가를 보며 걸어다니는 사람들을 하나하나. 확인하며
목적지로 갈 동안, 우리는 그 아무도 입을 열지않았다.
여전히 우리의 관계를 추리하는 그들의 목소리만을
집중했다.
'와, 박유환이 영원아 옆자리 앉은거 봐. 확실해 졌네.'

'확실하긴 개뿔. 영원아 창문만 보고있잖이. 내가 추측하는건데 박유환이 영원아 꼬시려 하는거야.'
박유환이 중간에 헛웃음을 지은 것 빼고
우리는 마치 조용한 밤, 몰래 밖을 나가 찬 공기를
쐬는 사람처럼 무음만을 집착했다.

그리고, 15시간 같은 15분이 지나자 그가 말했다.
"자, 내리자. 목적지에 도착했어."
그가 나에게 손을 내밀었다. 분명 오래 앉아있어서
움직이기 귀찮은 나를 위한 도움이겠지.
살짝 대들고 싶어져서 그 손을 못 본채 하며

—삐빅

먼저 버스에서 내렸다.
"아.. 뭐이리 오래걸려."
"그래서 내가 거의 맨날 지각해."
"자랑인 줄 아는거야?"
"자 그만 투덜대고, 나 따라와~"
그러고는 어둡고.. 좁은 골목길로 들어갔다.
그러는데 이상한 상상이 드는 거 아닌가.
"너.. 이상한 곳에서 일해?"
"뭐??"
그가 눈을 크고 동그랗게 뜨며 소리를 질렀다
많이 놀란 듯 하다..
"으악 깜짝아.. 야 놀라도 너무 놀란거 아니야?"
"야 당연하지.. 내가 뭐 그런 곳에서 일하는 사람처럼 보여?"
"아니 솔직히 이런 어둡고 좁고 누가봐도 비밀스러운 골목으로 '빨리

따라와~' 이 지랄거리면 당연히 '유흥업소인가..? 아니면 조폭모임인가..?'라고
생각할 수 있지.."
"허얼.. 뭐 그건 인정할게. 그런데 그런 곳 아니고
정말 낭만넘치고 멋진 장소거든..?"
"너 그런.. 곳을 낭만넘치고 멋진 장소라고 생각하는 건 아니지..?"
"아아! 아니라고!"
내가 놀리면서 비웃으니깐 그의 얼굴이 점점 홍당무가 되어갔다.
"아 다 왔다. 여기야. 내가 일하는 곳."
빨개진 볼의 그가 얼굴을 식히려는지,
아니면 이 대화주제에서 벗어나고 싶었는지
급하게 손가락으로 한 건물을 가르켰다.
그곳은 건물 안에서 따듯한 색상에 조명을 켜두었으며
마음 한 켠을 안정시키는 향기가 나는 것 같았다.
오늘 같이 햇볕이 눈을 찌르는 날은 그 건물의 창문이
아름답게 비쳐 주변을 찬란하게 만들고.
비가 주륵주륵 오는 날에도 순간 무지개를 보게만들고
당장이라도 우산을 던져 비에 자신을 맡기고 싶게 만드는, 그가 말한대로 낭만넘치고 멋잇는 곳이였다.
"어때? 이게 아직도 그렇게 위험하게 보여?"
그는 밝게 웃으면서 유리문을 열었다.
그리고 그 건물 안으로 들어가서 인테리어를 보았다.
먼지 한 톨 없는 깨끗한 브라운색 테이블과 책장위에
문학 소설책이 완벽하듯 쌓여있다
그리고 커피를 내리는, 그리고 약한 꽃 향기가
내 후각을 잔잔히 스친다.
박유환은 당연하듯이 카페 한 가운데에 있는 의자에 앉았다.
그리고 구석에 있는 기타 가방을 꺼내와. 가볍게 줄을튕겼다.

그 소리마저도 여기에서는 한 즉흥자작곡 같았다.
“자! 오늘의 손님~ 연주 시작하겠습니다~
거기 웨이터! 손님씨에게 차 한 잔 드려야죠~”
그가 실실 웃으며 한 여성에게 말했다.
그녀는 익숙한 듯 ‘예예~’ 라며 장난을 받아쳤다.
흰 피부, 고양이같이 까칠한 눈빛,
하지만 결코 무섭다고는 할 수 없는 얼굴.
그리고 높게 묶은 머리까지. 왠지 박유환과 닮았다.
그녀는 나와 눈이 마주치자 약간 주름이 있는 눈으로
환하게 눈웃음을 지었다.
얼굴에 살짝 있는 노안마저도 아름다운 그녀였다.
나는 그냥 뭐.. 감으로 그녀를 박유환의 어머니. 라고 생각했다.
“자자~ 이 곡. 잘들어봐. 너에게서는 완벽할 연주일꺼야!”
자신만만한 그.
그리고 그가 기타 첫 코드를 감미롭게 연주하고.
점점 더 음악의 감정은 높아졌다.

익숙한 박자, 익숙한 코드. 심지어 너무나 익숙해서
약간 질려버린 멜로디.
난 그가 치는 곡이 자신의 곡인 것을 눈치채고,
곡을 완벽히 재해석한 그가 대단함을 뛰어넘은,
질투심과 두려움을 느꼈다.
천천히 시작하고 부드럽게 끊기는 연주가 계속될 때,
내 앞 테이블 위에 있는,
맑고 투명한 차를 보았다.
연주와 함께 그것을 한 입 느꼈다.
얼그레이 향이 혀를 톡톡 치고 살짝 씁쓸한 맛이 느껴지면서 맑은 물이 내 목을 스쳐갔다.

얼그레이 차를 반쯤 먹어가고. 그의 바삐 바쁜 손가락들이 점점 속도를 줄이고 있었다.
연주의 마무리를 알리는 신호다.
결국. 작은 낭만 연주회는 막이내리고
그는 물었다.
“어때? 내 작은 연주.”
나는 그에게서 한번도 말한 적 없는 말을 했다.
“누가 내 곡을 완벽히 이해한 사람은 누구냐고 묻는다면, 난 고민없이 너로 대답할거야.”
“와 너랑 만난지 몇 시간 됐는데. 긍정적인 말은 지금
처음 들었어.”
“얼씨구?”
하하호 웃는 얼굴 뒤에 깔끔하게 놓여져있는 책들이
보이고.
“자 그래서. 어떻게 생각해?”
“응?”
“내 제안. 어떻게 생각하냐고.”
아, 그것을 생각하지 못하고 있었다.
고집 하나는 어마무시하게 부리네. 라고 입 밖으로 튀어 나올 뻔 했다.
“음.. 설마 내가 이 장소 하나만으로 네 제안을
받아줄거라는 생각을 하고있었어?”
“..그렇게 생각했다면?”
“아쉽게도 그 생각은 틀렸어. 난 안 받아줄거거든.”
“그럼. 어떻게 하면 받아줄 생각이야.”
“하.. 안 받아준다니깐?”
속이 터질만큼의 답답함이 차오르지만 하나 까먹은 점이 있었다.
“내가 말 안 했구나.”

엄숙하면서 밖에서 고양이우는 소리에 집중을 하는
그를 마주하며.
"난 비열하면서도 겁 많은 사람이니깐, 이런 내가 음악을 할 수는
없어."

몇 초의 정적 후, 박유한이 말을 걸었다.
"짐작은 한 내용이여서. 놀라거나 하지는 않았어."
방금전까지 있던 그의 미소는 온데간데 사라지고
그의 얼굴은 그와 잘 어울리는 진지한 표정을
하고있었다.
"..이왕 이야기가 여기까지 흘러온거. 처음부터 다 말해봐. 나에게."
이젠 당당하다 못해 뻔뻔한 그는 나를 놓아줄 생각이없나보다.
결국 그의 뻔뻔함에 천재는 지고 말았다.

"9년 전부터. 내 스토리는 시작되고 있었어.
그러니... 9살인가."
부드럽고 천천히 내 아픈 청춘을 입에서 뗐다.
쾅쾅 뛰는 내 맥박을 무시한 채.
"나, 약간 아픈 몸이거든.
아홉 살 때 교통사고를 당해서.
지금은 괜찮아졌어도 아직도 심장이 불안전 할 수도 있대.
그리고 내 악몽이 시작되는. 15살.
그때는 증상이 더 심해졌어.
다행히도 우리 집안이 돈이 있는 편이라서
경제적 문제는 없었어. 그래서 그런가."
"..무슨 일이 있었길래."
"별거 아닌거야.. 단지 낙망 뿐인가.
병원을 다니면서.. 학교생활을 하던 중.

우리 반 애들이 눈치 챘나봐. 내가 아프단 사실을."
직접적인 괴롭힘은 없었다만.
소외인 듯 아닌 듯.
개가 날 좋아하지 않은 기분.
나한테만 말투가 띄겁다던가.
그런 더러운 기분만 느껴져서 말이야..
혼자다녔어. 그때부터."
"그럼.. 그때부터 혼자 다니기 시작하고.
그때부터 음악에 관심이 있던거야?"
"오, 빙고.
혼자 다니다 보니깐.. 음악을 혼자 음악만 듣는 날이
많아지더라. 그래서 그런지 관심도 더 많아지고.
그때부터 싱어송라이터 일을 시작했지.
근데.. 꽤나 성공적이였어. 숨겨진 재능을 찾은.. 그런 기분."
"그리고..다음내용이."
"바로 세 달 전. 대중들이 거짓말을 알아버렸어."
"알아. 알지. 그 논란."
"유명한 사건이라. 너도 알고 있구나."
"네 표절 논란. 솔직히 어이없지."
"솔직히말이야... 놀랐어. 그런 바보같은 말에
믿는 사람들이 이렇게나 많다고?
어디로 가도 내 욕만 끊임없이 하고있었어. 안 지칠 정도로 말야."
"그래서 그만둔거구나."
"응. 지금은 잠수 상태야."

이 것이 내 이야기. 말 하는데 많은 생각이 들었으면서, 약간..
눈물도 나올뻔 했다. 그런데 그는.. 말이 없어졌다.
"설마... 사람들한테 말도 안 하고 은퇴선언이야?"

"뭐 맞긴한데.. 뭔 은퇴야. 나 아직 어린데."
"중요한건 그게 아니고, 야 사람들한테는 말해야지!"
"음...굳이...? 그냥 잠수만 타면 돼잖아."
"네 노래 기다리는 사람들은 어쩌라고.. "
"기다리는 사람이나 있을까..이 상황 최대한 회피하고 싶은데. 오면 사람들이 음원사재기 진짜였냐.
이러면서 다구리나까고. 으.. 끔찍해."
"네 마음도 이해가 가긴하는데. 그래도 마지막
인사정도는 해야하지 않아?
어..그래! 곡을 하나 내자! 마지막으로!"
"미쳤구나.. 내가 말했지. 더 이상 못한다고."
"정말 마지막인데.. 한번만. 딱 한번만. 해보자"

"싫다니깐? 난 더 이상 한계라고."
"내가 도와줄게. 같이 노래 만들자. 마지막 작별이라고
생각하고."
"개소리야.. 아 그만해. 처음 만난 사이에 그게 무슨 말이야?
너 정말 사람 짜증나게 하는 거 잘해. 그러니까 그만해줄래?"
"화내도 돼. 그 대신 내 진심만을 알아줘."

퍽-

"이제 관두지 그래?! 존나 둔하네 그냥. 내가, 싫다고."
욱하는 마음에 책상을 세게 치고.
무거운 백팩을 한 쪽 어깨에 걸치며
뛰쳐나오듯 나가려했다.
아무리 생각해도, 내 아픔을 가지고 노는 사람이랑은
친구 못 할거 같아.

마지막 작별 노래? 개소리하네.
내가 어떤 수모를 겪었는데.
내 청춘을 불태우지 않을 생각이야. 요즘.
내 낭만에게 낙망이라는 옷을 입히기 싫지 않기 때문,

“정말 마지막으로 천재에게 부탁할게. 나와 작별을 만들어줘.”

유리문을 열고 밖으로 나가려던 순간.
머리가 띵– 하고 욱신거리면서 나는 고민했다.
이젠 당당하다 못해 뻔뻔한 그는 나를 놓아줄 생각이 없나보다.
잠시 멈칫. 하면서 생각을 하였다.
내가 여기서 가는게, 맞는걸까? 저 쪽의 말을 한 번만 더, 들어보아야하나?
“하... 알았어. 알았다고.”
결국 그에 의해 나는 지고 말았다.

.동화 속

20XX.10.15

나는 그를 모멸감을 느끼는 듯 여겼습니다.

어째서 신은 나에게 한 번의 기회라는 것을 주신걸까.

그것은 나를 더욱 자극시켰고, 나를 나로 만들었습니다.

청춘이라는 덫으로 나를 유혹했으며

세상의 유혹은 나락의 심판으로 빠뜨리고.

심판의 빛은 무엇보다 아름다웠습니다.

짹짹-

시계처럼 참새는 7시에 울었다.

그것은 어제와 똑같은 교복과 똑같은 수업.

그리고 똑같은 친구들을 만난다는 예고이기도 했지만..

오늘의 나는 그 울음소리가

희망의 알림이라는 것을 느꼈다.

잠을 깨기 위해 차가운 얼음물 한 컵을 마시고.

선도부에게 걸리지 않기 위해 교복을 단정히

차려입었다.
깨끗한 새 운동화로 현관문을 열고,
집 바로 앞 버스정류장으로 향하였다.

3314..3314...언제 오지..
내가 찾는 버스가 10분 뒤에 온다는 것을 보고
너무 빨리왔다며 자리에 앉는다.
"영원아!"
누군가 내 등을 치며 말했다.
"악..깜짝아. 너 뭐야..? 왜 여기 있어?"
"왜 여기있긴? 나도 이 버스 타니깐."
"너.. 어제는 다른 버스 탔잖아."
"아 그건 우리 가게로 가는 버스고! 여기 근처에서
사니깐 여기에서 타."
운도 지지리도 없네..
"이태까지 내가 널 왜 못 마주쳤을까.."
"그거야 예전까지는 차를 타고 다녔었는데,
너가 버스 탄다는 걸 어제 알았으니까는
이제부터 버스만 타려고!"
"하.. 저 미친새끼가 다 있네.. 아 차 타고 다녀..
나 너 마주치기 싫어.."
"뭐야.. 너무해.."
"너무해는 개뿔. 니 상처 안 받았지."
"어 사실 맞아."
"저 새끼를 어떻게 하면 좋지.."
아침부터 그를 만나
그래서 말이야. 우리 언제부터 노래 만들 거야?"
"뭐 그런 당연한 질문을 해! 바로 지금부터지!"

으.. 뭐 이리 열정적이야..
“아니 야 잠깐만.. 우리 기말은..?”
“아 기말이 있었구나. 기말은 아직 한참 남지 않았어?”
“우리 학교 기말 일찍 시작해서 2주밖에 안 남았어..”
“헐 그만큼 밖에 안 남았어? 뭐 어쩌겠어.. 포기하자!”
그렇게 당돌하게 말하지 마..
“야 그냥 미뤄. 기말 지나고 방학 때 하자.”
“안돼!!”
“아씨 깜짝아! 소리 지르지마!”
그가 크게 말하는 바람에 귀청이 떨어질 뻔했다.
덤으로 쪽팔림도 얻었다.
“미친놈아.. 나 아파서 중간도 좆망쳤다고..기말까지 망치면 나 지인짜로.. 인생 망할수 도 있어..”
“아이 뭐.. 기말 하나 망쳤다고 지구가 무너지고
그런건 아니잖아?”
“내 마음이라는 지구는 무너져.”
“아이고야..”
“반응 빡쳐.”
“하하.. 나는 자랑질 좀 하자면 공부는 자신있어서!
내가 기타 치기 전까지는 이래보여도 반에서 5등 안에
들었어!”
“그럼 알려주면 되겠네. 곡 만드면서 틈틈이.”
“오.. 좋아! 그런 방법이 있었네!”
엄청난 대처법을 들은 듯한 그의 반응은..
너무나 따라가기 힘들었다.
“하.. 그래 좋아.. 아 기빨려..
넌 무슨 아침부터 이렇게 텐션이 높아? 안 피곤해?”
“나 원래 이런 성격~”

"첫인상과는 많이 다르네.."
"내 첫인상은 어땠는데?"

그의 첫인상은 신비롭고 알 수 없었으며.
흑발과 흰 피부로 대비감을 준 그의 매력은
더욱 귀하였다.
마치 깨져서 금이 간 흰 옥구슬. 이였다.
그에게서 한 단어로 표현하자면.
"다크써클이 엄청 심했어."
"어?"
"그리고 재수없었어."
"어??"
"아 그리고 잠 좀 자. 얼마나 안 자면 다크써클이.."
"???"
"야 버스 왔다. 타자."
항상 그를 놀리고 나면 버스가 온다.
그래서 어리둥절한 그의 모습이 엄청 재밌다.
나이스 타이밍!
"허,, 야 같이 가.."

덜컹,쾅쾅 거리는 험악한 버스 안,
사람들은 다 같이 약속이라도 한 듯 같은 시간에만
많은 거 같다.
낑낑 묶어져 있는 거 같고,
'이번 역은 단애고등학교- 단애고등학교 역입니다-'
'이제 나가야 하는데..'
"영원아! 빨리 와!"
"아 기다려!"

나가려 해도.. 나갈 수 없..-
“와... 하.... 드디어 나왔네.”
“저 버스는 뭐 이리 사람이 많아?”
“여기 근처 사는 사람들이 한 두명이냐?
그리고 출근하는 사람도 많으니까..”
“너무 낑겼어..”
“하긴 너는... 세상물정 모르는 사람 같아.”
“아 무슨소리야! 내가 얼마나 현실적인 사람인데.
그거는 됐고, 우리 빨리 가야하지 않아?”
“30분 전? 평범하네. 천천히 가.”
그는 가느다란 손가락으로 내 팔을 쭈욱- 당겼다.
“힘만 세서는.. 천천히 가자고.”
그는 힘이 빠진 나를 도와주기라도 한다는 듯이
빠른 걸음으로. 내 반이 있는 3층으로 타고왔다.
“아 힘들어.. 그냥 엘리베이터 타자니깐..”
“타면 우리 망해.”
“그냥 벌점만 받는건데 뭐..”
나는 마치 편식하는 유치원생처럼
투정을 부리면서 7반으로 들어갔다.

들어오자마자 시끄럽다 못해 익룡소리가 나는 반은,
우리들의 젊음을 보여주는 것만 같았다.
그리고 그 사이로, 나에게 말 소리가 들려왔다.
“영원아!! 오랜만이야..
얼마만이지.. 나 어제 학교 못 왔으니깐 세 달 만이네?”
“조수민...너무 오랜만이다..
다리에 깁스는.. 어제 이것때문에 학교 못 온거야?”
“응.. 계단에서 넘어졌어..

댄스부인데... 이번공연도 못 나가고..
나도 어제 고백받는 원아 보고싶었는데.."
고백이라니.. 저 이상한 소리는 분명..
나는 수민이 옆에 웃음을 참고있는 다윤이를 보았다.
"이다윤 감자닮은 새끼야..
네가 조수민한테 나 고백받았다고 구라쳤냐?"
"맞아! 아니 어제 조수민 표정이 진짜 웃겼다니까?
'헐 뭐야 개 진짜 고백하러 온거였어?'
이렇게 말했다고~"
"거짓말에 소질있어 새끼야.'

"야 영원아!!!! 니 어제 어떻게 됐냐???"
또 다른 목소리가 들리운다. 우렁차고.. 높은 톤..
"와..설민정.. 목소리 진짜 커... 너무 시끄러워.."
"하하..그정도로 큰가..
나 그래도 얼마나 숙녀같은데~!"
"어, 설민정이 지금 학교 왔다는거는..
아, 박주원도 와 있겠구나.
둘이 햄버거와 감자튀김처럼
세트메뉴인 듯 붙어 다니니깐.."
"엥? 박주원이 누...구...
아 춘자!! 하도 별명인 춘자라고 부르니깐..
크큭 본명을 까먹어버렸어.."
"뭐 이년아?"
"아 시발 깜짝아!! 아 춘자 언제부터 있었어.."
"잠시 화장실 갔다왔엉 유환이 여친~
아 그건 그렇고 설민정 애 학교 오면서 릴스 보는데
게이릴스 나왔다니깐? 미친년이야 아주"

“예~~ 민정게이 민정게이~~”
“아니 동성애를 무시하지마 얘들아!”

-드르륵
문이 열리면서 갑자기 더운공기가 반을 감싼다.
“아 더워! 하..하...”
“오? 장지원!
지원아 또 아침 피구 하고 왔어?”
“응! 하..너무 열정적이게 했어... 에어컨.. 몇 도지...
헐 18도야? 그런데 이렇게 덥다고?”
“지금 너한테만 엄청 더운거야..
몇몇은 다 추워해..”
“운동하고오면 너무 더워..하... 나 잠시 물 좀
먹고 올게!”
운동부...운동부는 어쩜 저리 꾸준한거지...
나로서는 상상도 못 할 행동에 신기해 한다.

오늘도 언제나 똑같은 수업시간.
언제나 지루하고, 언제나 졸리다.
창 밖을 보니, 날씨가 또랑또랑하다.
6월임에도 장마라는 흐릿함이 하나도 없다.
아, 오전에서 보는 교실은 아름답구나.
손으로 펜을 돌리는 딴 짓을 하고,
나에게 오는 에어컨 바람을 느낀다.
나에게 햇볕이 다가온다.
그 햇볕은 뜨겁지만 시원하다.

’얘들아 밥 먹고 피구하러 바로 올라가자!‘

그런 말이 내 달팽이관 까지 들려온다.
아.. 깜빡 잠들어버렸다. 오늘 급식은 뭐지.
시래기국, 닭볶음, 계란찜, 콩밥, 배추김치, 김가루
우리학교 계란찜은 비린내가 나고.
닭볶음? 또 퍽퍽하겠지.
그리고 뭐 무슨.. 닭이랑 병아리가 동시에 나와?
우리학교는 미친게 분명하다,고 생각했다.
"하... 오늘 밥은 어떡하지. 배가 고프기도 하고..
그렇다고해서 먹기는 너무 맛 없는데.."
나는 고민 끝에, 그냥 밥을 굶기로 결정했다.

"원아야 밥 먹으러가자~ 너도 피구할래?"
"아니.. 나 밥 안 먹고 공부하고 있을게."
그들은 아쉬워하는 표정으로,
몇 명은 밥을 먹으러, 몇 명은 피구를 하러,
몇 명은 동아리를 갔다.
결국 교실에 혼자 있게 된 나는 무엇을 할지 고민했다.
일단 공부를 한다고 말해두었긴 했는데..
내가 가지고 있는건 자습서뿐, 하지만 너무 어려워서
풀지 못한다..
푸욱 엎드려서 잠이라도 자야겠다 싶어지만
손가락이 자동적으로 피아노를 치고 있는 것처럼 움직였다.
c코드.. 스타카토... 피아니시모..
아 그래.. 나 싱어송라이터였지.
나는 계속해서 손을 움직였다.

음악 생각을 하다보니, 잠시 내가 미친걸까라는 생각이 들었다. 박유환을 만나러 갈까, 생각이 들었기 때문이다.

문득 든 생각에 자기자신을 부정했지만,
뭐.. 다른 이유가 있는 것은 아니지만. 고작 심심하니깐!
라면서 억지로 이유를 댔다.
고민할 필요도 없다 생각하여 바로 옆반으로 발걸음을 옮겼다.
노크를 하고 반의 문을 열고선 살짝 엿보았다.
아니나 다를까, 박유환 그 애도 나와 똑같이 외톨이다.
"뭐야? 너 밥 먹으러 안 가? 아니면 나랑 같이 있고 싶어서 그런거야?"
"너랑 같이 있고 싶어서 온건 절대 아니고. 오늘 급식이 맛 없어서 그냥 안 먹으려고."
"치.. 아, 만난김에 시작하자. "
"뭐를?"
"당연히 마지막 곡이지! 만들기로 했잖아!"
"아, 그럴까. 근데 나 아직 생각한게 없는데."
"그래서 오늘은 곡 구성을 짤거야!"
"곡 구성이면 뭐.. 앨범에 있는 곡 개수? 곡 가사? 그런거?"
"자세히 말하자면 그렇지.
자, 그러면 곡의 주제를 찾으러 학교 탐방을 해볼까?"
역시나 그는 또 내 대답은 아무상관 없단 듯이 나를 계단쪽으로 가게 만들었다. 나는 그의 뒤를 계속 쫓는 그의 강아지는 아니지만, 그는 왠지 모르는 포스로 날 자꾸 자신에게 이끌게 만들었다.
그런 그만의 자신감. 난 그게 짜증나고 희한하다.

나는 억지로 가듯이 그를 따라갔다.
마침내 학교 뒤편에 도착하고,
그는 긴 다리를 쭈욱 뻗으며 바닥에 앉았다.
"학교에 이런곳이 있었나.."
벌레를 걱정하면서도 나무와 노란 국화가 조화를 이루고,

비좁지만 작은 생태계가 이 곳을 차지하는.
“그러면 뭐, 생각한거라도 있어?”
“아니... 당연히 아니지.”
“아이씨, 네가 나한테 권했으면 무슨 기본적인
생각이라도 해놔야할거 아니야.”
“아이 그래도 지금부터 하면 돼지!”
그 말 후로 우리는 아무 말도 섞지 않았다.
아니, 못 섞었다.
’사람을 불러냈으면 같이 상의를 하면서라도 말을 해야할거 아니야!‘
라며 화를 내고 싶었지만.
그는 큰 고민을 하고 있는 것 일까.
눈살을 찌푸리고, 무슨.. 어떤 말을 하고싶어 하는 것
같았다. 그런 눈으로 나를 뚫어져라 쳐다본다.
“? 왜그래..?”
“아니... 생각해보니 네 느낌이 나는 곡이면 좋겠다고
생각해서..”
“갑자기 그게 무슨 소리야? 야 말 좀 같이하자..”
내 말은 가뿐히 무시하고, 그는 다시 자신의 뇌에 갇혔다.
그는 약 3분 동안 큰 고민을 한다.
그러고는 큰 깨달음이라도 얻은 듯, 유레카를 외치 듯,
말하였다;
“그래! 그거야!
타이틀 곡의 주제는 사랑,청춘,이별, 노래 표지는
네 사진으로, 멜로디는 기타. 좋았어. 완벽해!”
그는 머릿속을 계속 돌려, 곡구성을 다 짠 것이다. 그 혼자.
오, 짧은 시간에 내 곡 분위기를 파악하며 구성을 잘 짜네.
라고 말하려 했지만, 듣는 중간 이상한 말이 있다..?
“뭐? 잠시.. 나 이의제기 있거든..?”

"그래? 이렇게 완벽한데?"
"아니.. 왜 곡의 표지가 내 사진인건데?"
"아.. 그거야, 뭐. 이번 느낌이 너를 나타내니깐?"
"허, 난 싫거든? 나랑 상의를 하고 정해줄래?"
그런 나의 말에 그의 밝은 표정은 어디로 갔는지,
그는 시무룩하고, 삐진표정을 하고있었다.
"이번이 마지막이기도 하고.. 너가 곡 표지면
이쁠거 같기도 하고.. 또한 네 사진이 있다니...
뭔가 멋있지 않아..?"
그의 저런 말투는, 약간 불쌍해 보였다.
"멋있다는 무슨.. 난 박제되기 싫어.."
"망측하게 박제되는게 아닌,
멋있게 박제되는거잖아? 정말 그렇게 생각해?"
그는 꽤 논리적에게 말..하긴 개뿔.
이상한 말을 계속 지껄였다.
"자, 잘 생각해봐. 네가 만약 노래를 내. 그러면
그 곡이 엄청 대박이 나겠지? 그런데 마지막 노래이래!
막 인터넷에서도 난리가 나겠지? 그런데 완벽한 노래의
표지가 노래 주인이고 싱어송라이터인 너래. 완전 관심 폭발!
너무 좋지 않아??"
끈기 하나는 바퀴벌레처럼 대단한 그가
계속 저렇게 말하니까.. 점점 지겨워지기 시작하고,
얼른 이 주제를 끝내야겠다고 생각했는지,
"하... 알았어. 네 마음대로 해."
나는 얼버무리며 대답을 했다.
"아싸! 그러면.. 지금 찍을까?"
"뭐?? 뭐이리 급해.. 천천히 찍어.. "
"지금 네 상태 완전 좋은데? 교복도 입었고!

그리고 배경도 좋고!"
"너무 급해서 얼굴도 준비 못했고.. 무엇보다 마음의 준비가 안 됐어."
"어?? 네 얼굴상태 오늘 완전 좋아! 지금 대충 찍어도 괜찮게 나올 정도라고..."
나의 칭찬으로 주제가 살짝 비틀어지며, 그 말은 약간 나를 기분좋게 만들었다.
"하지만.. 마음의 준비가 안 되었다고 하니.. 어쩔 수 없다.."
"하.. 드디어 설득했다. 그리고 제일 중요한 것은.. 나 공부해야해. 난 이제 공부를 포기하면 안돼거든.."
"아 맞다! 공부! 내가 알려준다고 했지?!
문제집 줘봐! 내가 기깔나게 풀어줄게."
자신만만한 그의 모습이 왠일로 멋있게 보였다. 모르는 것, 그에게 물어보면
오히려 좋지 않을까? 라는 생각이 들었다.
"아, 반에 있는데. 가져올게. 참고로 수학이야."
자신있던 그의 표정은 금새 무너졌다.
"설마 다른것은 다 잘하는데, 수학만 자신없다. 그런건 아니겠지?"
"맞아."
"시발새끼가."

제일 중요한 수학을 못한다니, 나는 그를 약간 원망했다. 그럼에도 그는 긍정적인 사고로 수학은 자신없지만
다른 것은 자신 있으니 그걸 알려주겠다고 한다.
복도 홈베이스 책상에 앉으며, 그의 가방에서 나온 역사 자습서를 본다.
"자.. 일단 역사부터 알려줄게! 신라시대는.."

삼국시대부터 시작한 그의 무료역사강의.
날 배려해주기 위해 천천히 알려주는 그의 마음은 통했지만. 천천히
말해도, 난 전혀 못 알아들었다.
아니, 뭐라는 거야? 왜 거기서 발해가 나오는 거야?
뭐?? 통일신라? 아니, 얜 또 누군데 그래??
어느새 내 머릿속은 물음표로 가득찼다.
“..... 자! 여기까지 삼국시대! 문화나 이런거는
여기 사진으로 있으니깐 외우면 쉽고.”
“음.. 알려준거는 고마운데, 하나도 이해 못하겠어.”
“..? 이 파트가 가장 쉬운 파트인데..?”
아 시발 조졌네.
“나 어떻게 해야하니.. 이런것도 못하고.”
“야야! 괜찮아! 이딴거 못해서 뭐 세상이 멸망되는것도 아니고!”
“아침에 말했지만 내 마음이라는 세상이 멸망돼.”
“아 됐고! 너 말하는거 보니 문과인가 보다! 자 국어로 가자!”
날 위로해주는 그를 보며 감동은 받았지만.
또 그의 가방에서 나오는 국어 자습서를 보니,
짜증이 몰려왔다.
국어 문제집을 피며, 이번에는 문학인가 보다.
어디.. 이번 기말에서 높은 난이도라고 소문이 난
<난쟁이가 쏘아 올린 작은 공> 이다.
“일단은 이 소설은 1960년대 이후에 쓰여진 소설이고.
빈민층의 삶의 좌절과 애환을 담은..”
이번에도 열심히 가르쳐주는 그의 앞에,
아무것도 모르는 표정의 내가 있다.
난 정말 아무생각 없는 눈빛으로. 잠시동안 생각을
했다. 내 뇌에서는 그의 설명을 무시하면서
’어떻게 하면 내가 의미있게 공부를 안 할 수 있을까?‘를 주제로

생각했다.
조금 후, 열심히 설명하는 그에게 말했다.
“내가.. 잠시동안 생각을 해봤는데...
시발, 나 기말 포기하려고.”
그는 ‘계속 열심히 생각한게 그거냐?’ 라는 느낌의
한심하다는 표정을 지었다.
“표정뭐냐. 뭐 어쩌라고 내가 공부를 못하는걸 어떡해.”
표정은 장난으로 지은거라며, 그는 하하 웃었다.
“그래~ 뭐 몇 년동안 공부 하나도 안 했을텐데,
못 할수도 있지!”
“아아, 공부 얘기는 작작하고, 곡 이야기하자.
네가 그렇게 좋아하는거.”
“좋아. 그러면, 어디서부터 시작할까?”
방금 전까지 공부를 알려주던 그의 표정과는 사뭇 다르게 그는 얼굴에 생기가 돌았다.
“너의 퍼스널컬러는 음악이구나.”
“재미없는 드립 치지마~”
“죽여도 돼?”
“아 장난! 근데 나 공부는 꽤 하는편이지만..
사실 막상 공부 알려주거나 하는건 엄청 싫었거든.
어떻게 알았대?”
“딱 보면 알아. 누가 몰라 저렇게 티나는데.”
뭐 그리 좋은지 행복한 듯 웃었다. 너도, 나도.
“어, 우리 점심시간 1분 남았다는데?”
“아씨, 망했네. 결국 아무 결론도 못 내렸잖아.”
“뭘 못 내려! 내가 다 짰잖아!”
“뭐.. 그렇긴 하지. 시간은 뭐 이리 쏜살같이 지나가는거야. 아 심지어 다음 과학인데 2교시 연속이네?

아 죽을까.. 뭐 일단 여기까지 하고 나머지는 방과후에 만나."
작별아닌 인사를 하고 나는 다음 수업을 위해 반에 들어갔지만
"뭐야 왜 아무도 없어?"
"아, 그러고보니 아까 그.. 눈 크고 마른 애 이혜빈?이 알려주던데, 너희 반 다음 과학실이래."
"뭐? 과학실은 5층에 있잖아.. 아씨.. 왜 수업 때 괜히 잤어.."
급하게 과학책을 챙기고 박유환의 웃는 모습을 툭,
치며 숨이 차오를 정도로 뛰어갔다.

"하.. 몇 분 늦은거 가지고 과학실 청소야!!"
"그러게 왜 늦으셨어~ 아, 데이트한다고 늦은거구나!"
"뭐래.. 내가 언제 데이트를 했다고."
"아니 전까지는 박유환이랑 같이 있었잖아?
그럼 데이트지! 솔직히 말해. 둘이 그렇고 그런사이??"
"또 그런다.. 애들 엮고 다니는게 취미지?"
"으악 머리 때리지마!"
언제나 해맑쭉 웃는 친구들을 보며 곧 마지막 교시를 향하고.
"아 아직도 마지막교시가 남아있어? 난 지금 학원 가는
시간갔단 말이야.."
"원래 재미없는거 할 때면 시간이 천천히 가잖아."
"으.... 다음 뭐지.. 씨..역사야? 아 졸린데
잘 수도 없고.."
학생들의 투덜대는 소리가 마치 확성기 같이 컸고,
우리들은 지루한 수업시간을 받으러 갈 수 밖에
없었다.
"그러고 보니 너희 둘이 뭐하러 오붓하게 같이
있던거야? 어제 버스정류장에서도 있었고, 점심 때도 그렇고, "
"야, 심지어 내가 등교 때도 마주쳤는데, 둘이 같이

등교했었어. 그리고 둘이 멈추어서서 어떤 긴 말도
했다고!"
"헐 뭐야? 음... 그래 공개연애하기는 부끄러워서 그랬구나! 이해해~
좋은 사랑해!"
"등교하는거는 언제 본거야.. 아 개소리 집어치워.
내가 장담하는데, 난 걔를 안 좋아하거든? 근데
그 새끼 나 백퍼 좋아해. 나 존나 따라다녀"
"근데 그걸 받아주는 너도 마음 있다는거네?"
나는 방금 전에 한 대 맞은 머리를 또 한 대 쾅,
때렸다.
"키도 작은게 말은 또 잘해요."
"뭐라고?? 니 키 나랑 10밖에 차이 안나!!"
우리들의 대화가 뭐 그리 웃긴지 손뼉까지 치며 웃는 그들.
난 그들앞에서 그저 허수아비처럼 묵묵했었다.
하지만 오늘만큼은 그들과 함께 광대를 보는 표정으로
해벌쭉- 웃음을 들어냈다.

반으로 들어가니 먼저 가 있었던 애들이, 약간 큰 사이즈의 인형으로
패스놀이를 하고 있었다.
"야 니들은 전생에 공 못 만지고 뒤졌냐
이제는 하다하다 인형으로 피구를 하네."
"우리가 봐도 그런거 같아. 근데 너무 재밌잖아!"
"너희 그러다 쌤한테 인형 뺏겨. 저저.. 그래 4반도
뺏겼잖아.. 조심해."
"거참 인형인데 뭐 어때! 발뺌 겁나 하면 돼!"
라며 자연스럽게 빠르게 날아오는 인형을
서로 주고 받았다. 어찌나 빠른지, 정말 신기했었다.
그렇게 계속..계속.. 반복하던 그들이 어느새 지루해졌는지, 장난식으로

다른 이들에게 인형을 던졌다.
“와씨, 뭐야 개 잘잡아.”
“내가 이래보여도 피구 하나는 잘하지~”
그들은 서로에게 세게 던졌다.
그리고 인형을 보며 멍을 때리다 보니 어느새 나에게
어느 둥근 물체가 공중에서 다가오고 있었다.
그건, 누군가 세게 던진 인형이다.
“으악 나 실수로 너무 세게 던졌는데!”
너무나도 놀라 어느 몸짓도 못 짓고 있을 때,
뒤에서 어떤 인기척이, 느껴졌다.
“와씨, 인형으로 이렇게나 빠르게 던진다고? 진짜 잘하긴 하네.내가
조금만 늦었으면 영원아 사망직전이였어.”
뒤에서 팔을 늘려 내 앞에 인형을 잡아주었다.
박유환이였다.
“박유환 뭐야? 영원아 지켜주는거 뭐야?
미친거 아니야? 와 약간 설레..”
주변에서는 나와 그의 사이를..
수군수군 이야기하고 있었다.
“와.. 박유환 진짜 잘 잡네. 너도 같이 할래?”
“아니, 난 쌤한테 혼나기는 싫어.”
“아니 이게 뭐가 혼난다고~”
“뒤쪽에 쌤 있는데? 너희 둘, 나와보래.”
“어,”
잠시동안 그 둘은 정적을 주도하고, 소심스러운 자세로
담임쌤한테 갔다. 혼나는 소리가 여기까지 들리운다.
“아 너무 웃겨 너희 반.. 그나저나 넌 어때? 괜찮아?”
“...괜찮아보이냐..?”
아무것도 괜찮지 않았다. 내 안색은 이미 추위에 떠는 사람처럼 푸른

색이 되어있었고, 내 다리는 떨리다 못해
인간진동기가 되어있었다. 바로 지금 주저앉아도
이상하지 않을 상태였다.
“하하하! 뭐 이런걸로 쫄아.”
“야, 네가 느껴봤어야 됐어, 와, 이건 살인이야.
나 너무 무서웠다고.”
옆에서 공을 던지던 친구는 큭큭 하는 웃음을
억지로 쑤셔넣으면서 사과를 했다.
사실 그 정도로 사과는 안 해도 되는데..
“그래서 너 왜 온거야..?”
“아니 그냥 뭐.. 특별한거는 아니고, 이따가 같이 하교 하자고.”
그가 말을 하자마자 주위에서는 감탄소리가 삐어져 나왔다.
“오~! 뭐야뭐야..”
“둘이 사귀는거 맞아. 안 사귀는거면 저 둘만 모르는
연애거나. 그런거야.”
“우와!! 아예 공개고백을 해라!!!”
이런 환호아닌 환호를 받으니, 잠시나마 시상식에 나간 연예인이
된 기분이였다.
“하하.. 뭐 대단한 것도 아닌데 왜 그렇게 놀라지.”
그는 껄끄러움이라는 감정이 하나도 없어보였다
아니, 약간 무감정의 인간?처럼 보일만큼 능글맞았다.
곧 수업시간이라는 말을 통해 그들을 진정시키고
기운이 쭉쭉 빠지는 기분을 느끼며 자리에 앉았다.
다음 수업, 아, 국어 인건가.
교과서를 사물함에서 가져오고 책상에 대충 놓자마자
단정한 원피스 차림의 국어선생님이 오셨다.
선생님은 여유있고 느긋한 말투로 우리에게 교과서를 필 것을 요구
하셨다.

‘이번 기말에서는 <난쟁이가 쏘아올린 작은 공> 부분이 난이도 있게 나올
예정입니다. 그러니 이 부분에서....’

박유환, 그는 어제처럼 반 앞에 나와있었다.
저 정도면 종례는 그냥 안 듣고 나오는게 아닐까,
라는 우스갯 생각도 했다. 그의 얼굴은 1시간 차이로
사뭇 달라져있었다. 원래부터 심하던 다크서클은 더욱 심해지고 덜 뜬 눈으로 내 백팩을 잡으며 겨우 걷고
있었다.
“진짜 피곤해 보이네. 또 잠 못잤지.”
“당연하지.. 이번에 수학 이였는데.. 어떻게 자.”
“모범생이세요 아주. 그래서 왜 하교 같이 하자고 한 거야.”
“당연히 곡 표지 촬영하러 갈 거 아니였어?”
당연하다는 듯 의아해 하는 그.
“뭔 개소리야. 내가 지금 이 꼴인데. 나 화정도 못 했어.”
“아니 너 이쁘다니깐?? 화장 안 해도 돼. 한강가자!”
“너 그거 나한테 데이트 신청 하는거야..”
“그래? 그러면 데이트 하면 돼지!”
“존나 단순하네. 갑자기 이러는 게 어딨어.. 우리 아직 곡도 못 짰고, 주제도 나 자세히 모르는데?”
“내가 중간중간 주제 알려주고, 내가 하라는 포즈만 잘하면 이쁠거야! 그리고 오늘 무조건 가야하는 이유가 있어!”
그는 은근 준비성이 철저한지 자신이 준비하고 있는 것을 말하기 시작했다.
그가 꼭 가야하는 이유는 궁금했지만 나에게는 중요하지 않은 부분이여서
굳이라는 생각에 물음을 하지 않았다.

그런 그의 모습이 약간 믿음직하기도 하고, 그래서.
못 이기는 척 그의 요청을 동의했다.
“오늘 교복 치마도 못 줄이고 나왔고, 심지어 나 틴트도
못 발랐는데.. 정말 괜찮을까?”
“ 괜찮아 괜찮아.. 오히려 그런 순수한 모습이 이번 콘셉트야!”
계속 그와 대화를 하다보니 어느새 버스정류장 앞이였다.
나는 당연하게도 버스 카드를 지갑에서 꺼내고, 정확히 3분 뒤에 올 버스를
기다렸지만, 그는 버스정류장을 자연스레 지나쳤고, 손을 번쩍! 들면서 ‘택시!’를 외쳤다.
“원아! 내가 택시비 내줄게. 같이 타자.”
갑자기 호의를 베푸는 그여서 살짝 당혹했지만, 돈을 내주겠다는데 뭐..
좋다고 생각하여 불러온 택시를 탔다.

‘어디로 가세요?’
“한강공원 앞으로 가주세요~”
한동안 버스만 타고 다녀서 그런지, 이런 소수의 분위기는 처음 느끼면서,
약간 불편하게 어깨를 들썩- 올리면서 가고 있었다.
백팩을 앞으로 매면서 시선은 아래를 보면서 멍을 때리고 있었다.
그는 바로 내 옆에 있었지만, 그가 나에게 말을 걸 뿐, 나는 간단히
대답만 하고, 몇 번은 아예 귀찮아서 대답조차 하지 않았다.
‘아이고~ 둘이 사귀는 거여?’
운전사님이 한 말은, 학교에서 제일 많이 들어본 질문이였다.
지금은 너무나 많이 들어서 지친, 그 질문
“하하, 아녜요! 안 사귀어요!”
그는 간단히 상황을 마무리 하려 했다만, 운전사의 말은 계속됐다.

'한창 좋을 때지~ 그때가 가장 많이 사랑할 때고, 미워할 때야.'
도착하기 까지 몇분까지, 운전사가 물 흐르듯 낭독하신 순정을 들었다.
'아무리 싫어한다 해도, 어떨 때는 없으면 또 불안하고,
그러다 곧 서로가 없으면 불행해지고,
젊음의 사랑은 약간 위험한 놀이 같은거야. 한 번 빠지면 더 이상
서로에게 평범한 사람이 아니지. 서로는 자기 인생의 파트너니깐.'
백팩을 꼬옥 안으며 창문을 보는 나와, 그 옆에 박유환의 귀는
서로를 향해 있지 않고 그 착잡한 운전사의 목소리에 향해있었디.
그 이야기는 어찌보면 바보같은 세상의 동화이야기였고,
또 저찌보면 이상적인 우리들의 현실이였다.
그러나 나는 그 이야기를, 동심적인 우리의 비판이라고 생각이 들었다.

'자~ 도착했습니다.'
학교에서 한강까지 그렇게 많이는 안 걸리지만, 내 모습은
거의 두 시간 동안 엉덩이와 의자를 계속 붙여있었던,
그렇게 생각이 들 만큼 몸이 딱딱해진 것 같았다.
택시에서 내리고 나니 더운 날씨에 떨어진 나를 살려주는
시원한 바람과 걸을 때 마다 느껴지는 부드러운 풀들이 나를 환영하는 것
같아서 그 환영을 느끼기로 했다.
저 아래쪽으로 가면 한강과 아름다운 산책로가 나오고,
그와 반대로 위쪽으로 가며는 저택과 음식점이 가득한 곳이 나온다.
그리고 그는 왜인지 서두르며 택시에서 내리고, 어딘가로 걸어갔다.
덕에 내 발걸음도 빨라지면서 그를 쫓아가는 것 같이 따라갔다.
허나 그가 가는 곳은 강 쪽이 아닌, 저 위쪽으로 걸어갔다. 이유는 몰랐다.

항상 내 예상과는 다르게 행동하는 그와 어울리는 행동이였다.
말 없이 그를 계속 따라가니, 점점 종아리가 아파오기 시작했다.
하지만 그는 전혀 힘이 하나도 안 드는 것 같았다.
그의 얼굴은 피곤함이 하나도 없었고 오히려 기대 가득한
표정 뿐이였기 때문이다.
그리고는 다리가 점점 아픔의 끝자락의 다가올 때 쯤, 우리는
드디어 목적지로 도착한 거 같았다.
“자! 잠시만 여기서 기다려봐!”
그가 말하자마자, 그 곳으로 뛰어갔다.

그 곳은 어떤 이의, 개인 주택이였다.
말끔하면서도 럭셔리한 분위기로 매연 냄새와 담배 꽁초가 가득한
이 주위를 깔끔히 적셔주는 것 같았다.
그렇지만 왜 마당에 이사 준비가 한참인 마냥 많은 택배 박스가
있는지는, 나는 모른다.
그는 그 건물의 마당을 자연스레 걸어가고, 문을 똑똑 두드린다.
그러나 아무도 안 나오자 그는 초인종을 눌렀다.
그러자 어느 중년의 남자가 나왔다.
남자가 박유환을 보자마자 웃으며 반겨주는 것을 보고,
둘 사이는 친분이 있는 것으로 추정했다.
박유환은 남자와 웃으며 약간 이야기 한 다음, 날 보고선
가까이 오라고 했다.
나는 소심하게 마당을 살짝 밟으면서 다가갔고, 남자와 인사했다.
남자는 따듯한 인상을 가지고 있었으며, 또한 따듯한 목소리도
가지고 있었다.

“삼촌, 애가 영원아란 애야. 그 작곡가 걔.”
“너가 원아구나! 반가워.”

대화를 들으니 저 둘 사이는 가족인 것을 밝혀졌다.
그리고 남자는 집 안으로 다시 들어가고, 무엇인가 가져오는 것 같았다.
남자가 집 안으로 들어간 사이, 나는 뜻하지 못하게 거실을 보았다.
거실은 깔끔했다. 하지만 그 깔끔함은 정리를 많이해서가 아닌, 처음으로 돌아간 깔끔함 같았다.
다시 말해, 물건들을 다 버리고 뺀 깔끔함이였다.
그가 나오고, 그의 두 손은 무거워보였다.
한 손에는 적당한 사이즈의 검정 카메라와.
그리고 또 한 손은 샌드위치와 오렌지 주스가 각각 2개 담긴 봉지.
“자 여기 네가 빌린 카메라와, 원아와 같이 먹으라고 주는 샌드위치와 주스! 이따 촬영하고 배 고플 때 먹어!”
나는 샌드위치와 오렌지 주스가 담긴 봉지를 들었다.
그는 카메라를 들고, 그의 삼촌에게 말했다.
“고마워 삼촌! 촬영 다 하고 빨리 줄게.”
나는 그의 삼촌에게 고맙습니다. 라며 작은목소리로 말했고, 우리는 그 곳을 떠나 내려가고 있었다.
높은 계단은 올라가기에는 너무나 힘들었지만
내림길은 높은 길을 올라온 보상이라도 되는 듯, 너무나도 쉬웠다.
그렇게 하나,하나, 내려가다 보면 항상 지루할 틈이 생긴다.
그는, 그러니 박유환은. 그 지루함을 못 참아내는 사람이다.
계단을 한 개씩 내려가다, 갑자기 두 개씩, 세 개씩... 반복되다가 결국에는
다섯 개씩 점프를 하며 내려갔다.
나는 놀란 나머지
“야, 너 그러다 다리 다쳐.. 그만해.”
“아니야 괜찮아! 이게 더 빠르거든! 한 개씩 내려가는 것은 재미 없잖아!”

그는 하루만 사는 듯이 행동했으며, 행동을 할 때마다
그는 해방감을 느끼는 것 같았다.
“너도 한 번만 내려와봐! 스트레스 풀린다니까?”
지금 이 자리에서 저 밑은 꽤나 멀게 느껴졌다.
나는 어떻게 하면 뛰어내려갈까, 라는 생각보다는
당연하게도 한칸 씩 내려가야지, 가 머릿 속에서 나의 정석이였다.
사실은 그 다섯 칸이라는 그 짧고 별것도 아닌 것을
약간. 무서워하는 것 같았다.
그의 장난스러운 유혹에도 나는 걸리지 않을거라고 굳게 믿었다만
그 때 나는
아, 나는 결코 얇은 사람이구나.
를 느꼈다.

 나는 흔들리는 교복 치마를 무시한 채
그의 뻗은 손을 보면서 뛰어들었다.
잠시나마, 그래.. 중력을 무시해버린 것 같은 짜릿한 기분이였다.
발이 땅에 닿을 때, 그는 나의 손목을 콱, 붙잡았다.
그러고서 약간 발목을 약간 삐끗- 하면서 삐인거 같았다.
살짝 고통이 오는 것 같은 느낌이 들었고
너무나 빠른 속도로 뛰어들은 탓에 중심을 쿵, 하며 잃었다.
나의 발이 가만히 있지 못하는 상태에서도 그는 나의 손목을 놓지 않았다.
결국 어,어, 하며 우리는 계단 저 밑으로 떨어졌다.
5칸의 두배인 10칸? 10칸은 무슨, 20칸 정도 떨어진 것 같았다.
저 끝으로 떨어질 때도 그는 미련하게도 나의 손목을 꼬옥 잡았다.
“아씨... 무릎 까졌어... 너 괜찮아? 왜 그래서 내 손목을 잡았어..”
“안 그러면 너 다치잖아! 무릎은 어떡해.. 아프겠다.
내가 반창고 빨리 가져올까?”

너의 팔목과 얼굴에 난 더 큰 상처를 보고도 그런말이 나올까.
라고 말하고 싶었다.
그는 너무 어리석고 바보같게도 자신 생각은 못 했다.
나는 무거운 백팩에서 여분으로 가지고 다니는
작은 소독제와 연고, 그리고 반창고를 꺼냈다.
“너 걱정부터 하지그래? 너 팔 진짜 많이 다쳤고, 심지어
얼굴도 상처 살짝 났어. 자 대.”
나는 계단 끝쪽에서 휴지로 그의 피를 살짝 닦고, 다른 휴지로 소독제
를
묻힌 다음, 그의 팔에 발랐다.
그러고는 반창고 두 개를 엉뚱하게 툭, 붙였다.
또 많이 터진 입도, 휴지로 살짝 감싸며 연고을 발랐다.
그리고 작은 반창고가 없다는 이유 때문에, 반창고를 살짝 뜯어
작게 만들고 붙였다.
“너무 엉성한 거 아니야?”
그가 비웃듯이 웃었고,
“어디서 도와준 사람한테.”
라며 말하긴 했지만, 내가 보아도 엉성하고 이상한 반창고에
나도 모르게 웃음이 피식 하고 나와버렸다
그 웃음을 들은 박유환은 내가 웃는 것이 웃기기라도 한 듯,
더 크게 웃어버렸다.
그새 거대한 웃음바다가 되어버렸고, 그 사이 그는 소독제와 반창고를
자연스레 가져가 내 까진 무릎에 바르려 했다.
나는 까진 상처에 소독제를 바르면 무지 아프다는 사실을 알고있어서,
창피하게도 살짝 피해버리고 말았다.
그는 웃으며 상처에 소독제 바르는 것도 아파하냐고,
나를 주사 맞기 싫은 어린아이라며 놀려댔다.
“아, 아니거든? 붙여도 돼! 나 안 쫄아.”

나의 자존심이 나를 이겨버리고, 나는 주먹을 세게 쥐고
아파도 참는 수 밖에 없었다.
눈을 딱 감고, 치료가 다 된 것을 확인했다.
"음.. 별로 안 아픈데?"
가오를 한 움큼 잡은 나는 당당히 말했지만, 그가 믿어줄리 없었다.
"음, 그렇다기엔 네 표정만 보면 엄청 아파보였는데?"
내 표정은 언제 본 건가. 따지고 싶었다만 유치한 말 다툼만
계속될 거 같았다.
낮은 계단에서 일어날 때, 시간은 6시나 되어있었다.
그럼에도 하늘은 아직 맑고 푸르고, 깨끗했다.

우리가 강쪽으로 내려갔을 때, 강은 빛나고도 아름다웠다.
마치 인어공주의 고향 같이 푸르고도 밝은.
그리고 갑자기 불어오는 바람 때문에 머리카락이 완전히 산발이 되어
버렸다.
강 물과, 풀들과 꽃들이 산들거린다.
거세게 불어오는 바람으로 치마 속도 뒤집어지고, 두 손으로는
챙겨야 할 부분이 너무나 많았다.

찰칵-

그러자 어느 소리가 들려왔다.
소리가 나는 쪽으로 고개를 돌려보니. 박유환이였다.
그는 사진을 확인하고, 기쁜얼굴으로 '이것을 보라지!'라며
자랑스러운 말투로 말을 걸었다.
그것은. 내 사진이였다.
바람으로 엉망이 된 머리카락을 정리하는 나의 옆모습이 보이고,
뒷 배경이 확 트여져 있는 시원시원한 사진이였다.

나 자신이 말하기도 부끄럽지만, 정말 아름다운 사진이 나왔다.
나는 오랜만에 누군가 찍어준 사진에 약간 심장이 떨린거 같기도 했다.
나는 멍하니 그 사진을 보고있었고, 핸드폰으로 카메라로 찍었던 사진을
직접 찍어서 옮겼다.
레트로 느낌이 나면서 분위기있는 사진을 나의 사진첩에 담았다.
"자, 이제 연습도 했으니 진짜 사진을 찍어볼까?"
연습용 사진도 마음에 쏙 들었으니, 실전 사진은 얼마나 화려할지
기대가 되었다.

"자, 사진은 총 3가지 생각했어!"
박유환은 나에게 포즈를 시켰으며, 첫 번째 포즈는 벤치에 앉는 포즈였다.
무슨 프로 사진작가라도 되는 듯, 그는 큰 움직임을 보이면서
사진을 찍기 시작하며, 나는 어색한 팔과 다리와 표정, 세 콤보로
사진은 너무나도 별로였다.
나는 카메라로 찍은 사진을 보고, 내 머리가 이렇게 컸던가,
내가 이렇게나 다리에 살이 많았나, 눈은 뭐이리 작고,
얼굴형은 개판이다.
그런 생각에 사로잡혀 기대했던 마음이 금세 의기소침해졌다.
"어.. 내가 사진을 잘 못 찍어서 그래. 너 실물이 훨씬 더 이뻐!"
그는 그런 나를 눈치챘는지 내 자존감을 높여주는 말을 했다.
그럼에도 내 자존감은 지금 떨어지는 중, 이여서
더는 안 찍으려 했지만 그는 나를 거의 밀면서 다음 포즈를 시켰다.

그 다음. 자연스레 강 물 옆으로 걷는 것이 나의 역할이였다.
강 물 옆은 거슬리는 바위와 돌들이 가득했다. 그 곳을 걷는 것은

여간 쉬운 일이 아니였다.
줄다리기를 하듯 나도 모르게 손을 옆으로 쭉 뻗었다.
그는 나에게 팔을 내리라는 명령 아닌 명령을 했고,
나는 최대한 팔을 내려보았지만 너무나 어구정어구정. 했다.
이번 사진도 실패인가, 라며 혼잣말을 하고 의욕이 없어졌다.
하지만 그럼에도 그는 허무한 열정을 계속 가지며
카메라 속에 나를 담고있었다.
나는 쓸모없는 짓이라고 생각해, 머릿속으로 사진은 후딱 찍고
곡 표지는 다른 것으로 하자, 라며 그를 설득할 계획을 짜고있었다.
"어때? 이번은? 난 괜찮은 거 같은데."
"음, 뭐 괜찮은데. 빨리 마지막 사진 찍자."
마지막은 흔들리는 강물 옆에서 구부리는 구조였다.
아까 걸을 때에서도 그랬듯,
울퉁불퉁한 바위에서는 무슨 행동을
취하든지 간에 위험하고 불편한 건 마찬가지다.
최대한 평평한 바위 옆에 가서 무릎을 구부렸다.
그런데, 약간 무엇이 땡기 듯 아파오기 시작했다.
무릎, 무릎이였다. 아까 넘어지면서 가친 무릎.
속으로 에이씨. 속으로 욕을 살짝 하고. 다시 사진에 집중했다.
머리를 살짝 넘기고는, 강 쪽으로 시선을 바꾼다.
내가 싫증을 낸 사이에, 시간은 벌써 7시를 손에 쥐고있었는지.
강물이 주홍빛으로 빛났다.
우아하고, 고운 강이다. 이렇게 상냥한 장소에,
더럽고 얼룩진 나는, 이 곳이 어울리지 않는다.
여러 가지 생각이 머릿 속에서 피어나다 보니
종아리가 너무 아프다고 생각했다.
종아리도 필 겸 잠시 일어나려던 순간.
방향이 비틀어지고. 나는 살짝 넘어지고 말았다.

그러면서, 갑자기 엄청난 고통이 나를 반겨주었다.
아, 아까 반창고 붙였던 곳의 바로 옆 부분, 조금 튀어나와서 아직까지
피가 흐르던 부분.
하필이면 그 부분을 부딪혔다.
나는 작은 고통의 신음소리를 내고,
박유환은 사진을 찍던 행동을 멈추고는 나에게로 다가왔다.

나는 갑자기 기분이 나빠지고 가슴이 답답해지는 기분이 들어
마음 속에 박혀있던 그 이상한 기분을 들춰내기 위해 소리를 질렀다.
옆에 있던 주먹만한 바위를 강물로 쿵- 하고 던지면서 말이다.
아니, 울부짖는다는 것이 더 알맞은 표현인가.
무게감 있는 바위 때문에 물이 사방팔방으로 퍼졌다.
그렇게 우리 옷은 다 젖었다.
너무나도 찝찝하고 기분이 나빴다.
아, 난 그저 내가 하는 것이 잘 안돼면 짜증내는, 그런 이기적인 사람이였나.
내가 그렇게도 나만 생각하는 쓰레기 인간 이였나.
그냥 아무런 이유 없이 모든것이 좆같아졌다.
사실은.. 내가 가장 좆같은 거일 수 도 있다.
잠시 침묵의 시간이 흘렀다.
아주 길고도 눈물이 펑펑 쏟아지는. 그런 시간.

갑자기 그가 정적을 깨주듯 웃었다.
"하하!! 이거는 무슨 물수제비야?"
너무나도 행복하고 웃기기라도 한 걸까. 그러고 보니, 물수제비는 뭐지..
물수제비. 생각났다. 아, 우리가 어린시절 많이 하던 그 놀이.

신발던지기와 함께 했던 그 순수한 놀이.
그는 무엇이든지 긍정적이고도 어린아이처럼 생각했다.
갑작스레 물수제비를 얘기하는 그가, 제일 웃겼다.
그런 그에 의해. 나도 따라 웃었다.
우리는 모든 갑갑함을 다 내리치듯 웃었다.
그러고는 그는 자기가 물수제비를 잘 한다고. 작은 돌을 강에 던졌다.
그 돌은 쿵- 하며. 한 번 갔다.
"뭐야. 잘한다면서."
나는 그의 뻔뻔함에 한 번 웃고, 그의 머쓱한 태도에 두 번, 세 번을
기쁘게 웃었다.
이번에는 나도 한 번, 돌을 잡고 최대한 멀리 가게 자세를 만들었다.
딱 완벽한 각도를 마주하고, 나는 있는 힘껏 돌을 힘차게 던졌다.
돌은 쿵, 쿵, 거리며 총 두 번을 갔다.
"뭐야, 왜 나보다 잘해?"
"그야 네가 못하는 거여서 그래."
그는 승부욕이라도 불탄 듯, 물수제비에 사용할 것 같지 않은
약간 큰 돌을 가져와서 자세 각도를 잡았지만
멀리 던지겠다는 욕심이라도 너무 컸던건지. 실수로 돌을 내리쳤다.
넘쳐나 버린 세기로 물은 크게 튀어올랐다.
그 동시, 우리의 몸은 튀어오른 물오 인해 다 젖고 말았다.
평소라면 화나기에 바빴지만, 오늘은 너무나 웃긴 그 상황을
즐기며 그 옆에서 같이 웃었다.
앞에서 그는 잽싸게 카메라를 잡고. 빠르게 나를 찍었다.

찰칵-

다시 한 번 더 기쁜 셔터소리가 들려오고,
그 사진은 한 손으로 입을 막고, 기쁜 눈을 보이며

자연스레 크게 웃고 있는
바로 행복한 나였다.

 둘다 너무나 웃어서 지쳐버린 걸까.
우리는 숨을 몇 번 내쉬고. 마시고. 그것만을 반복하고는
힘들고, 광대가 점점 아파오는 느낌이였다.
거새게 흔들리는 강물의 파도를 보며, 우리는 멍을 때렸다.
어느새 하늘은 노을이 지고있었고, 퇴근을 하는 사람이 많아졌다는 것
을
빵빵거리는 차의 소리가 증명해주었다.
우리는 더운지 붉은 뺨을 서로에게 숨기고 있었다.
그러던 도중. 나의 배에서 꼬르륵 소리가 들려왔다.
평소대로라면 부끄러운 나머지 얼굴을 숨겼겠지만,
지금의 나는 그를 마주보며 마소를 탈탈 털었다.
그도 눈이 마주친 나를 보며 호탕하게 나의 미소를 따라했고,
그도 또한 배가 고픈지 꼬르륵 소리가 났다.
아, 벌써 저녁시간이구나.
그는 옆에 있던 봉지를 꺼냈고,
그 봉지에서 샌드위치와 오렌지 주스를 꺼내고 나에게 먼저
주었다.
“오, 땡큐”
“천만에.”
그는 갑자기 자신이 오렌지 주스 뚜껑을 까준다며
나의 것을 가져가 버렸다.
그의 팔은 꽤 얇은 편이 아니였는데도, 뚜껑을 딸 때 팔이 덜덜
떨렸다.
“뭐야. 왜 이렇게 못 까?”
“아, 이게 너무 꽉 닫혀있어서 그래..”

나는 그의 떨리는 손과 바보같은 변명을 무시하고 오렌지 주스를 낚아챘다.
약간의 시원함이 필요했던 내 입으로 그것을 목으로 넘겼고,
들고있는 샌드위치를 한 입 크게 물었다.
그도 날 따라서 상처 난 입술로 그것들을 목으로 넘겼다.
우리는 울퉁불퉁한 바위 위에 앉아서 아름다운 풍경을 보며
음식을 먹었다.
해가 뉘엿뉘엿 지는 모습은 꽤나 이뻤다.
"하늘이 이쁘네. 노을이지면서 더 아름답게 되었어."
"노을진 하늘은 원래부터 이렇게 이쁘진 않았어."
"그러면 뭐, 오늘만 이쁜건가?"
"아니, 난 내일도 이쁠거 같아."
"그러기에는 내일 너무나 많은 비가 쏟아져 올 거 같아."
"그래도 어찌 그것이 나쁘겠어? 나에게는 밝은 우산만 있으면
상관없어. 비록 그것이 소나기여도, 여우비이여도 말이야."
"또, 바보같은 말 계속할래?"
나는 그의 말이 왜인지모르게 위로가 됐었지만.
그 아이 앞에서는 나도 보통이 아니게 차가워졌다.

"폭풍처럼 사나운 날씨여도 하늘은 언제나 이뻐. 그리고
우리는 그 하늘을 보기 위해서 뛰어넘어야해."
"무엇을?"
"엇갈린 우리들을."
샌드위치를 한 입 더, 먹으면서 그를 마주보았고,
우리의 모습은 깨끗한 강에 비추어져있었다.
그리고 돌은 강으로 향해 자기 스스로 툭, 강으로 떨어졌다.
아니, 바람때문인거 같기도 하다.
우리에게는 심각히 약하지만 돌에게서는 참으로 강하게

불어오는 바람 때문에.

 한강의 쓰레기는 언제나 최악이다.
나는 이 순수한 물에게는 쓰레기를 주어야할게 아니라
순수함을 순수함으로 돌려주어야 된다고 생각한다.
난 먹던 쓰레기를 쓰레기통에. 그는 카메라를 가방에 넣었다.
이제 정말로 붉고 샛노랗게 진 노을이 나타났으며, 집에 가야한다.
나는 백팩을 매고, 가기 전 한강의 물을 살짝 만져본다.
사람들이 많이버린 쓰레기와 온갖 배설물이 가득한 더러운 물.
그렇게 사람들 머릿속에 정의 되었을 물.
이라기에는 만졌을 때, 너무나도 깨끗했다.
담배꽁초와 과자쓰레기 대신에, 과연 맑고 푸른 강물이
나를 반겨주었다.
어린아이들이 만지면 엄마가 더럽다고 혼내던 그 물.
언제는 벌칙으로 쓰였을 더럽다고 인식되던 그 물.
이라기에는 왜이렇게 신기하게 또렷한 것인가.
"원아야 빨리 가자!"
"아, 알았어!"
난 손에 있던 물을 없애기 위해 손을 탈탈, 털고.
그가 있는 곳으로 향하기 위해 계단을 올라탔다.
그럴 때도, 내 손은 너무나 깨끗했다.
"잠시만 나, 우리 삼촌에게 들렀다 가야할 거 같아."
"그래 뭐, 내가 그렇다는데."
"그러니깐 너 먼저 집 갈래?"
"뭐? 아니? 같이 가야지."
난 당연하다고 마음 속에 생각하고 있었다.
그를 만난지 얼마 안됐지만 정녕 당연하게도.
"아, 아니다. 그냥 나 먼저 갈까?"

"아니야, 그냥 같이 가자."
뚝. 끊어서 말하는 그를 보며 나는 살짝 두근거리는 느낌이 들었다.
두려움도 아니고, 설렘도 아닌 애매모호한 마음의 감정.
너무나도 헷갈린 나의 심장은 초견.
그런 것이. 나에게서 괴로웠지만, 괴상하게도 매우 좋았다.
고개를 옆으로 돌려 그의 얼굴을 보았다.
그의 얼굴은 사과같이 빨개져 있었다.
아마도 그의 심장은 지금 빨리 쿵쿵. 뛰고 있을 것이다.
나와 같은 기분일 것이다. 분명.

아픈 상처들을 가지고 있는 우리는 힘들고 땀이 튀어져 나올 정도의 몇 개의 계단을 오르고, 박유환의 삼촌의 집에 도착했다.
그러고는 초인종을 띵동 눌렀다.
"아이고! 이 상처들은 뭐니!"
그의 삼촌은 우리들을 보자마자, 우리의 얼굴보다는
우리들의 무릎, 팔, 입술 등등의 상처들이 더 눈에 띄었나 보다.
"계단에서 넘어진 것 뿐이야! 걱정 안 해줘도 돼, 삼촌!"
"뭐, 계단에서 넘어졌다고!? 그렇다면 엄청 심각한 거 아니야
어휴, 그렇게 덜렁대서는, 원아도 다치게 한거야?"
"응, 아주 잠시 실수였을 뿐이야."
분명히 우리들이 다친 것은 내 잘못일 텐데, 그는 무슨 생각인지
모두 자기 탓으로 돌리우고 있다.
"아이고, 내가 못 살아. 원아야 괜찮니? 어, 반창고 붙힌 상처 주위에 살짝
멍이 들었네. 짐시만 기다려!"
보니까는, 정말로 새파란 멍이 들어있었는거 아닌가.
그의 삼촌은 우릴 보고 자신의 집에 들어오라는 손짓을 하였다.
난, 현관문에서 신발을 벗고서 집으로 들어갔다.

긴 복도를 지나고, 박유환은 나를 거실 쪽으로 안내했다.
들어가자 마자 보인 거실은 백지 같이 온통 흰색이였고
고급스러운 아로마 향이 집을 후각적으로 꾸며주고 있었다.
아니, 그것들 보다 제일 눈에 띈 것은
거실에 아무런 가구도 없었다는 것이다.
소파도, 티비도, 심지어는 그 흔한 나무 의자 하나도. 없었다.
그러나 박유환은 놀라지도 않고 익숙한 듯, 또는 당연한 것을 본 듯.
그의 삼촌이 오기만을 기다리고 있었다.
“자~ 구급상자 여기있다!”
그의 삼촌은 몇 분 안돼서 먼지가 가아득 낀 구급상자를 들고서
거실로 나왔다.
후후- 불며 먼지를 닦아내는 모습을 보며,
한동안 안 꺼낸 옛날 구급상자라고 느끼운다.
그리고 박유환은 그 중 한 개의 약을 꺼내고 내 무릎에 바른다.
“그러게 왜 넘어져서는 원아를 아프게 만들어?”
그의 삼촌은 박유환의 머리를 살짝 때렸다.
“아 실수라니까.. 정말.... 원아야 멍 괜찮아?”
뻔뻔하기 그지없는 그는, 정말로 자기가 실수했다는 것으로
삼촌을 속이기라도 하는 것 같았다.
그 모습은 나를 지켜주는 것과도 같아, 살짝은 어이가 없었다만
기분은 의미모르게 좋았다.

“삼촌, 이번 주 안에 갈 예정이지.”
“어, 오늘이 목요일이니까. 아마도 일주일 안에는 갈거야.”
“... 예상하긴 했었어. 그런데 너무 빠른데..?”
“빠르기는, 일정 잡힌게 한 세달 전 인데. 지금가는거야.
솔직히 말하면 급한 것 치곤 늦은거지.
너도 다 알고 오늘 온거 아니니? 삼촌한테 원아 소개 해주려고.”

"맞긴한데.. 음.. 그래도."
나는, 그들이 무슨 주제로 대화를 하고 있는지 도통 몰랐다.
어디를 가는거고, 왜 가는건지 조차도 몰라서 그냥 벙쪄있는 상태로
그들의 이야기를 지켜보았다.
"삼촌 그러면 이 집은.. 파는거야?"
"응, 그럴거다. 하지만 너무 그렇게 우울해 하지는 마.
네 그 기타는 안 팔고 저 안방에 두었으니. 나중에 갈 때 챙겨가라."
"난 이 집 좋고, 정도 많이 들었고.. 그런데 꼭 팔아야해..?"
"유환아. 갑자기 왜 그러니. 어쩔 수 없는 일이잖아. 지금 급한 상황
이기도
하고. 너랑도 다 상의하에 정해진 계획인데. 네가 가는 것도 아니잖
아?"
"꼭 해외까지 가야겠어?"
"꼭 그래야 한단다."
아까와는 사뭇 다른 어둡고 진지한 분위기가 이 집을 감싼다.
얘기를 듣고서 유추해보는 것은.. 아마도 박유환의 삼촌은
곧 이민을 갈 거 같다.
그러고서는 이 집을 팔 것이고, 박유환도 자주 못 보겠지.
난 아픈 가슴을 부여잡고 그들의 감정을 읽기로 했다.
무슨 사건 때문에 이민이라는 길을 선택했는 지는 모르지만
아마도 그들에게 아프고 쓰린 상처인 것 같았다.
박유환의 얼굴은 금방이라도 울 것 같은 울상이 되었고,
그의 삼촌 또한 슬픈 얼굴로 그를 마주보고 있었다.
그들의 차가운 대화가 점점 더 이 방을 쌀쌀하게 만들어갈 때,
"아이! 손님이 왔는데 이러면 안돼지! 저 그.. 원아야! 혹시
괜찮으면 저녁이라도 먹고갈래?"
그의 삼촌은 둘만의 대화가 아닌, 나도 껴있다는 사실을 알아채고,
남극같이 싸늘해진 분위기를 다시 되돌리기 위해

다정다감한 질문을 꺼냈다.
박유환 그도 이 분위기를 눈치 챘는지. 정말로 울 것 같았던
표정을 버리고는, 다시 그같은 밝은 표정으로 돌아왔다.
"그래 영원아! 저녁 먹고가자! 삼촌이 오늘 김치볶음밥 해주신대!"
그는 여전히 나의 대답은 필요 없었고, 그에게 필요한 것은
그냥 나였다.

나는 부엌 식탁에 앉았다. 그리고 박유환은 잽싸게 내 옆으로 왔다.
옆에서는 맛있고도 감칠맛 도는 냄새가 났다.
그리고 반대편 옆에서는 박유환이 즐겁게 웃고 있었다.
그저 김치볶음밥 하나 먹을 뿐인데 그는 단순한 어린아이 같이
너무나 행복해진 것 같다.
내 코끝으로 김치볶음밥 향이 온다, 그리고 요리가 곧 완료될 것을
짐작했다.
나는 의자에 일어나서 주방에 있는 수저와 젓가락들을 꺼냈다.
"야야! 내가 꺼낼게 넌 여기 앉아있어도 돼!!"
그는 갑자기 다급하게 날 앉히려 한다.
"아니야. 내가 얻어먹는 입장인데 이 정도는 해야지."
"아이.. 뭘 얻어먹는 입장이야. 그, 내가 하려는데.."
내가 침착하게 그에게 대답을 하자, 그는 아쉬워 하면서
자연스레 다시 의자에 앉았다.
"야임마! 넌 손님이 수저 세팅하게 하냐? 네가 해야할 거 아니야!"
"아니, 내가 하려고 하는데.. 아 그럼 나는 물이라도 가져다 놓을게!"
"새끼야 물은 당연히 기본으로 가져다 놔야 하는거고. 저저 사내새끼
가
사회성이 떨어져요. 쯧쯧."
그의 삼촌은 그를 장난식으로 그를 괴롭히고, 그는 급히 냉장고로 가
서

물을 찾고, 다시 돌아왔다.
그새 그의 삼촌은 가스레인지 불을 끄고, 식탁에 있는 냄비받침 위에 김치볶음밥이 든 후라이팬을 올렸다.
나는 간단히 '잘 먹겠습니다.' 라며 예의를 전달했고, 숟가락으로 볶음밥 한 스푼을 떠 내 입에 넣었다.
"으악 너무 짠데?"
내가 혀로 맛을 느끼기 전에, 박유환이 소리쳤다. 아무래도 많이 짠가 보다.
그리고 나는 곧장 혀로 그것을 맛보았다.
윽, 생각보다 너무나 짰다. 이거는 무슨.. 소금 한 통을 들이부은거 같은데..
"야! 내가 얼마나 열심히 만들었는데. 그냥 먹어!"
"아니 삼촌... 원아도 이거 개짜대."
최대한 얼굴 표정을 가리려고 애썼지만.. 결국 표정에서 제일 티가 난 것인가.
하지만 안 짜다고 거짓말을 할 수 없는 몸이여서
그의 삼촌의 '원아야 진짜 그렇게 짜니..?' 라는 물음에
소심히 고개를 끄덕이는 수 밖에 없었다.
내가 고개를 끄덕이자 마자 그는 삼촌을 보며 마구 웃어댔다.
"하하하! 봐봐 삼촌! 내가 삼촌 요리실력 별로라고 했지?"
박유환은 크게 웃었지만, 그의 삼촌은 어째서인지 별다른 반응을 보이지 않는 것 아니겠는가.

"...삼촌..? 진짜 상처 받았어..?"
박유환은 불안하고도 미안한 마음에 삼촌에게서 살짝 물어봤다.
"아이고.. 됐다.. 나도 너희 나이 때에는 꿈이 요리사였는데..
옛날에는 하루가 다 가도록 요리만을 집중하고 그랬는데..
결국 지금은 아무 도움도 못 됐구나.. 지난 날이 후회스럽다.

이럴꺼면 공부나 더 하고 대학이나 가면 더 좋았겠네..”
삼촌의 상상치도 못한 그런 말에, 박유환과 나는 입을 다물고 있는 수
밖에
없었다.
“그.. 삼촌.., 아니야! 우리가 그냥 놀린거야! 삼촌 음식 진짜 맛있어!”
그는 급하게 대처하는 듯. 칭찬을 선보였다.
“맞아요! 그냥 유환이가 장난 치길래 따라서 친 것 뿐이예요!”
나 또한 급하게 맞장구를 치고, 그의 삼촌 반응을 살짝 지켜보았다.
삼촌은 여전히 얼굴을 못 들고 있었다.
박유환은 그것이 마음에 걸린 듯, 후라이팬에 있던 볶음밥을 한 입 먹
었다.
“아니 삼촌! 진짜 맛있다니까?”
그 짠 볶음밥을 먹는 그의 모습이. 삼촌의 마음을 열어 준 것일까.
그의 삼촌은 얼굴을 들기 시작했다.
나도 도움이 될까 싶어서 후라이팬에 있던 볶음밥을 먹기 시작했다.
결국 나와 박유환은 먹고, 또 먹고, 물 없이 계속 먹기만 하다가.
후라이팬의 바닥이 보이고, 또 보이고. 결국은 우리 둘이서 그것을
빠른 시간 안에 다 먹은 것이다.

그러자 박유환의 삼촌은 얼굴이 점점 기뻐지기 시작했다.
“그러냐.. 정말 괜찮은 거야..?”
“아니 그렇다니까 삼촌! 진짜 맛있어 나중에 또 해줘!”
“네가 그렇다면야 나중에 또 해줘야지!”
삼촌은 박유환과 똑 닮게 웃었다. 그의 표정은 꿈을 이룬 듯 한,
뿌듯한 청년같았다.
그러자 박유환은 나에게 작게 귓속에 말을 걸었다.
“나중에 삼촌이 또 해주면 우리 둘다 다 먹어야 한다.. 알겠지?”
나는 박유환의 섬세한 생각에 한 번 싱긋 웃으면서 또한 귓속말로

'알았어,' 라고 대답했다.
몇분 후, 우리는 짠 것을 급하게 먹은 탓에 배가 아프기 시작했다.
하지만 나와 박유환은 아무 후회 없었다.
오히려 우리들에게 남아있는 것은 달달한 감정과
기분이 좋아지는 웃음이였다.

배가 부르다.
이제 집에 갈 시간이 되었다.
"박유환. 이제 나 가볼게."
"가? 아니면 여기서 같이 자고갈래?"
난 그런 그의 말을 듣고 깜짝 놀랐다.
"뭐? 뭐 그런... 심지어 네 집도 아니고 남의 집인데."
"아니야 원아야! 그냥 자고가렴!"
어째서인지 박유환의 삼촌도 자고가라고 권유하는 것 아닌가.
"그래도 불편할 수도 있어서.."
너무 즉흥적이기도 하고, 민폐가 될 수 있을까봐
나는 한번 더 거절했지만, 그들의 끈기는 끝임없었다.
"아니야! 잠옷이라면 삼촌꺼 빌리면 되고! 어? 자고가자..
나도 여기서 자고갈 거란 말이야.."
박유환의 권유는 계속되었다
뭔가 횡설수설하게 말하는 그는 내가 꼭 자고가는 것을
바라는 것 같았다.
"어.. 알았어. 너가 안 불편하다면."
오늘도 그의 고집에 나는 졌다.
아니, 이번은 내가 이긴 것 같기도 하다. 솔직히 그다지 싫진 않으니.

어느새 해가 저물어져 간다.
박유환의 삼촌은 설거지를 하며, 박유환은 나에게 안 방을 소개해주려

발걸음을 옮기고, 각자의 행동을 하려한다.
박유환이 방을 소개해주려고 방 문을 여는 순간,
이 집에서는 느껴보지 못한 따스함이 몰려왔다.
거실과는 다르게, 온갖가지 가구들이 있는 그 곳.
방에 침대가 없었다. 그 대신 피아노 1대와 기타 2종, 그리고
책상 위 큰 컴퓨터가 있었다.
그 곳은 얼마나 많이 사용했는지, 그 흔한 먼지 한 톨도 없었다.
“오.. 네 방이야?”
“아니! 우리 삼촌 집이니깐 삼촌 방! 삼촌 취미공간이라고는 하는데,
솔직히 삼촌 몇 번하다가 질렸다고 해서 그냥 내가 주기적으로 와서
연주하고 그래! 몇 개월 전 까지만 해도 여기 계속 왔었는데.. 요즈음
은
잘 못오네..”
박유환은 오랜만에 와서 신난 것 같았다.
그리고 그는 기타 옆 의자에 앉아서 기타 2종 중 하나를 들었다.
자신의 무릎에 올려놓으면서 갑자기 연주를 시작했다.
어제도 들어본, 익숙한 박자, 익숙한 코드. 익숙해서 약간 질려버린 멜
로디.
그는 또 나의 곡을 연주했다.
난 양반다리를 하고 아래에서 그를 올려다 보며 말했다.
“너 그 노래 진짜 좋아한다. 어제도 그렇고 계속 그 노래만 치네.”
“이 노래 진짜 좋거든. 네 노래인데 약간 뿌듯하지 않아?
나 이 노래 듣고 너 알았어.”
“이게 거의 2년 전 노래이니까.. 두 번 째 앨범이네.
어? 너 나 안지 꽤 오래됐구나?”
“당연하지~ 난 네 초기 팬이야! 그래서 그런지 네 곡 들으면
‘이 곡은 이 감정을 들여 썼구나, 이 곡은 구성이 평소랑 다르네?’
라는 거 한 번에 알아.”

"그건 좀 무서운데."
"그 만큼 관심이 많다는 뜻이지."
말로는 까칠하게 말했지만, 기타 연주를 다 듣고
역시나 그는 나에게 완벽한 연주를 보여줬다.
원작자가 들어도 빈틈없이 완벽하게.
그런 그의 모습은 나를 더 열정적이게 만든 것 같다.
저 꿈을 넘고싶은 열정.
그러나 나는 생각과는 다르게 그를 넘지 못할 것이라고 생각했다.
누가봐도 그는 완벽했다.
음악적으로도, 그냥 '박유환' 저 인간 으로도 그는 완벽했다.
그런 그를 당연하게도 나는 넘을 수 없을 거라고 생각해
금방 포기를 생각하고 말았다.

그런 생각이 들 때마다 항상 이상한 설렘에 빠져들고 싶다.
그 설렘이 표정에 티가 나기라도 했나?
그는 내 표정을 보며 은은하게 웃는다.
그래. 또 웃는다.

이게 무소속 싱어송라이터의 패배인가.
난 사실 기타를 못 친다.
대충 코드 정도는 알고 있지만 손이 따라와 주지를 않는다.
그래서 음악을 만들 때면 키보드로 기타소리를 낸다.
방법은 간단하다. 사실 간단하다고 할 수도 없을만큼 그냥 쉽다.
키보드의 버튼만 딸깍딸깍 누르면 된다.
그런데, 이 키보드 기타가 그다지 좋지는 않다.
물론 기타소리가 나기 때문에 나로서 좋기는 좋지만,
맨날 키보드로 기타 코드 잡는 것이 힘들 뿐만 아니라
소리에 인공적인 느낌이 없지않아 있다.

그래서 난 지금부터 박유환에게 기타를 배워볼까 생각한다.
마침 잠도 자고 가기 때문에, 시간은 널널하다.
“박유환. 나 기타 좀 알려줘. 배우고 싶어.”
“응? 네가 웬일로?”
“나 기타 못쳐.. 좀 도와줘.”
“그래! 그러면.. 어떤 것을 알려주면 좋을까.. 이건 어때?”
그는 시범을 보여주었다.
그 시범은, 기타를 확 쓸며, 손이 안 보일 정도로 빠른 테크닉을 선보였고,
신나면서 펑크하며 중독성이 있었고,
딱 보아도 엄청나게 어려운 곡을 선보였다.
그는 정말 팔이 아플 것 같았지만 그와 달리 여유로운 표정으로
이 곡의 제목이 ‘펑크디파이드’ 라는 것을 알려주었다.
생각보다 너무 잘 치는 그를 보며, 한 때 그가 기타전공자 였지.
라는 생각이 났다.

저 연주는 빠르게 치면서도 절대 음이 뭉개지지 않았다.
그런 그를 보며 어안이 벙벙해질 정도로 놀랐지만
아쉽게도 그 곡은 내가 배우고 싶은 곡이 아니였다.
난 그저 간단한 코드만을 배우고 싶었다.
약간의 시간이 지난 후, 그의 연주는 막을 내렸고
그는 기쁘고도 뿌듯하게 나에게 말했다.
“자! 어때! 완전 멋있고 잘치지?”
“오. 잘하기는 하는데.”
“그렇지! 완전 배우고 싶지?”
“그런데 나는 그냥 코드만 배우고 싶어서 그런거야..”
그러자 갑자기 그의 즐겁게 올라간 입꼬리가 점점 내려가고,
그는 곧장 실망스러운 박유환 버전으로 돌아왔고,

“음... 그렇다면야.. 알았어.. 코드 뭔데..?”
너무나도 실망하고 아쉬워하는 그를 보며 살짝 미안함이 들긴 했다.
“C-G-Am-Em-F-C-F-G 이거.”
“오, 전형적인 캐논 코드네! 내가 이거 또 잘하지!”
그는 항상 그렇듯 기분이 갑자기 나빠지고, 또 갑자기 좋아진다.
그냥 감정기복이 심한 사춘기소년. 이라고 둘러댈 수는 있지만
그러면서 사람들을 당혹시키기도 한다.

“자 여기 옆에 와서 앉아!”
박유환은 도 다른 접혀있는 의자를 펼치면서 날 보고 앉으라 했다.
그 의자는 조금 오래됐는지, 삐걱삐걱 소리가 나기도 했고,
앉기도 불편했다.
“어, 앉기 불편해? 나랑 바꾸자.”
그는 어떻게 눈치를 챘는지 내 의자가 불편한 것을 알아채고
나와 자리를 바꾸어주었다.
그에게 배려당하는 기분이여서 싫지는 않았다.
블편한 의자에 앉은 그는 옆에 있던 또 다른 기타를 나에게 주었다.
이 때부터 그는 본격적으로 손가락을 어떻게 해야 안 꼬이는지,
어떻게 그렇게 또렷한 소리를 내는지, 등등을 알려주기 시작했다.
아까 전의 그와는 사뭇 달랐었다.
그는 아까 전 보다 진지해졌고,
예전에 그에게서는 볼 수 없었던
아주 안정감있는 그를 마주했다.
내가 어처구니 없을정도로 이상하게 따라하고,
박유환의 입장으로는 답답해할만한 상황에서도 언제나 기뻐했었다.
이 것이 진실 된 박유환이구나. 란 것을 느꼈다

“여기서 네 번째 손가락을 어떻게 해?”

"저저 아래로 빠져. 아니 그 아래 말고, 아 잠시만."
말로 설명하기 어려운 부분은 나에게 가까이 와서
내 손가락을 잡으며 알려줬다.
"손가락에 힘 빼봐. 자, 여기서 두 번째 손가락 빼고."
그가 열정적이게 알려주려고 할 때마다,
이상하게도 맥박이 점점 빨라지면서,
손은 피가 손가락으로 다 쏠린 듯 빨개졌다.
정말 박유환. 그 앞에서만 이런다.
"....내 얘기 듣고 있어?"
아, 잠시 다른생각을 해버려서 그의 말을 의도치않게
무시하였다.
"..."
갑자기 영문도 모르게 말이 안 나왔다.
입 안은 내가 말할 말들을 곧게 막고 있는 것 같았고,
볼은 감기에 걸린 사람같이 빨개지고,
심장은 쿵쾅쿵쾅 발차기를 하는 듯 했다.
그가 나를 보며 이상하단 듯 나에게 더 가까이 오면
그 증상은 더욱 더 심해졌다.
거리가 가까워질수록 그의 얼굴이 잘 보였다.
아, 여전히 심한 다크서클과 그의 깔끔한 흰 피부.
그는 머리를 스윽 넘기며 나에게 괜찮야고 물었다.
괜찮을 리가. 지금 내 기분을 전혀 모르는 그에게
속으로 대답했다.
하지만 입 밖으로는 그 말이 나오지가 않았다.

나는 떨려 죽을 것 같다는 얼굴을 하고선, 괜찮지
않았지만 괜찮다고 말했다.
그렇지만 박유환은 계속해서 나를 걱정했다.

그 어두운 달 같은 눈으로 말이다.
“아.. 정말 괜찮은 거 맞아. 그러니까.. 너무 가까이는
있지마.”
내가 그렇게 말하다 그는 나를 눈치채고 뒤로 빠졌다.
분위기는 어쩐지 싸해지고
너무나 서먹해져서 목 말라 죽으려 할 때 쯤,
그것을 풀려고 하는 그의 한마디에, 분위기는 금세
평소개로 돌아왔다.
“시간도 늦었는데, 이제 그만 잘까?”

설마설마하며 예상은 했다. 그렇지만 정말로..
박유환과 같은 방에서 자게 될 줄은 몰랐다.
그는 옆 방에서 이불들을 가져와 하나하나 폈고,
나는 그가 이불을 피는 동안
‘여기에 유교적인 사람이 있었으면 우리를 보고 불같이
화를 냈을거야.’
라고 말하고 싶었지만,
이상한 분위기가 되어버릴까봐 차마 그럴 수는 없었다.
그가 이불을 다 피고난 후, 그는 자기 옆에 누우란 듯이
바닥을 툭툭, 쳤다.
난 순순히 그의 말을 따라주고, 그 옆에 누웠다.
그는 방의 불을 끄고, 머리맡에 있던 무드등을 켰다.
잘 준비를 다 하고, 우리는 서로의 자리에 누워 자려했다.
그의 마지막 말은
“악몽 따위 꾸지말고 잘자.”
이였다.

한 10분 정도 지났을까,

고요한 방의 공기가 날 채운다.
나는 잠이 하나도 오지 않았다.
오늘은 움직이는 일도 많았지만 왜 졸린감이 하나도 없는가.
그런 나는 대답을 못 받을 것을 알면서도
장난식으로 그에게 물었다.
"자..?"
"...아니."
그 역시 나와 똑같이 안 자는가 보다.
"이상하게도 하나도 안 졸려. 오늘 되게 많은 일이 있었는데
말이야.."
"그러니까. 정신이 너무나 분명해."
......
약간의 잔잔함이 우리들을 관통했다.
우리는 서로 마주보지 않은채로 이야기를 했다.
"곡 사진, 어땠어?"
"엄청 이쁘게 나왔어."
"사진 되게 많이 찍었잖아. 무슨 사진 쓸거야?"
"아직은 잘 모르겠는데.. 아마도 제일 마지막에 찍은
사진을 쓸 생각이야."
"오.."
아까와 다르게, 그는 철벽을 치듯
단답만을 추구했다.
나는 대화를 하는데 서로 마주보고 있지 않는 것은
예의가 아니다. 라는 생각이 들어서
박유환 쪽으로 몸을 돌렸지만,
그는 여전히 벽만을 보고있었다.
살짝 서운했건만, 내 기분을 그에게 털어놓지는 않았다.
"있잖아. 아까 네 삼촌과 너가 한 얘기, 무슨 뜻이야?"

나는 이제 대화주제가 다 떨어져 가는 느낌에,
돌연 아까 얘기가 생각이 났다.
"…. 우리 아빠가 돌아가셨어."
대답을 듣고 난 뒤, 얘기를 꺼낸 것에 후회감이 들어서
그만하려고 했지만,
그는 아프게 말을 시작했다.
"그래, 3개월 전인가. 우리 아빠가 뺑소니로 돌아가셨어.
그 때부터 생게에 걱정이 가기 시작했지.
우리는 카페를 열지만, 사실상 그 카페에서 나오는 수입은
별로 없었거든. 그래서.. 삼촌이 해외로 가야한대."
"해외..? 어째서..??"
"우리 아빠는 혼혈이고, 내 조부모님은 지금 해외에
계시거든. 우리 중에 삼촌이 해외로 가셔서
돈을 벌어오신대. 하지만 어떻게 돈을 벌어.
상업을 하신다던데, 솔직히 그게 성공할지 누가 알아?
불확실한 생각이고 힘드실텐데... 삼촌이.."
말을 듣고, 나는 아무 말도 할 수 없었다.
도대체 어떤 말을 해야하는지 감을 못 잡았기 때문이다.
"그래서.. 네가 기타를 그만둔 것이구나?"
"어떻게 알았대.. 맞아."
그의 대답은 너무나 쓰고 더부룩했다.
"어떻게 해. 그걸. 포기를 안 하면 나는 집안의
쓸모없는 바퀴벌레같은 존재가 될 지도 몰라."
약간, 목소리에 울음이 섞여졌다.

"네가 그런 말을 나에게 들으면,
날 이상하게 볼까봐 두려웠어."
"그럴 리가."

난 살짝 비난이 아닌 긍정적인 코웃음을 지으며
그를 안심시켜주었다.
그러자 그는 그제야 나를 쳐다보았다.
그는 볼과 눈 주위가 빨개져있는 상태였다.
"넌 너무 바보같은 생각을 했어.
내가 무슨 널 이상하게 봐."
"그거야 고맙네. 볼 때마다 느끼는건데,
넌 너무 강해. 정신이."
"..나 안 강해."
그런 말을 내가 입 밖으로 꺼내면 안됐었다.
"무슨 소리야. 너는 무엇보다 강해."
"난, 너무 나약했어."
이제 내 차례인가, 말해주어야하나.
고민했지만, 그에게라면 말해주어도 괜찮았다.
"사실, 나 작곡가 그만 두고싶지 않아."
"뭐..?"
내가 말하자마자 박유환은 기쁜얼굴을 했다.
"그렇지만 나는 그만두면 안돼.
왜냐하면 내가 약하니까는."
그는 긴장의 침을 꿀꺽 삼키고 내 말에 집중했다.
"내 논란이 터진 그 때, 난 내 중학교 2학년 친구들을
마주했어,"
"아, 너 따돌림 당했을 때..?"
"맞아, 길에서 그 애들을 마주치고,
그들은 나에게 인사도 안하고는 비웃음을 치는거야.
그 때부터, 난 너무나 힘들어서 그 일을 못하겠더라."
솔직히 억지인 이유였다.
그 비웃음 하나로 갑자기 그만두는 것.

하지만 그 때의 나에게는 비웃음 하나가,
붉은 창 같이 따가워 죽을 거 같았다.
너무나 아팠다.
내가 제일 힘들 그 때, 그 애들이 나에게 비웃음을 치는 것.
"난 그 때가 너무 좋았어. 행복했어.
그렇지만 그 비웃음이라는 고통 하나 때문에
내 가슴은 이미 너덜너덜 해진지 오래야.
그 고통을 다시 느끼기에는, 나는 너무 나약해."
"그게 바로 네가 강하다는 증거야."
이 어이없는 말에게 그는 또한 어이없는 대답을 했다.
"네가 그럼에도 하고싶다는 그 마음. 나였으면
비웃음 당한 그 상황에서 내가 일을 했었던
그 시간, 그런것들을 몽땅 후회했을거야.
꼴도 보기싫고 노래도 듣기 싫었을 거야.
그런데, 너는 아직도 마음이 있고 내 제안도 선택했잖아?"
"그 제안, 이라면 마지막 앨범이구나."
"맞지. 나였으면 그 제안을 듣고 상대방 머리통을
내리쳤을거야."
머리통을 내리쳤을거라는 그의 말에 웃겨서 나는 우울한 얼굴을 뒤로 하고, 웃는 얼굴을 보였다.
"나는 그래서 네가 강한 사람이라고. 느껴."
그의 말은 언제나 끝이 있고 따뜻하다.
그 때, 느꼈다.
나는 그에게 마음이 있다는 것을 그제야 인정하고 말았다.
그를 볼 때마다, 내 심장은 이상하게 움직였기 때문이다.

훈훈한 그의 말에, 내 웃음은 계속되었다.
"웃는거 이뻐. 계속 웃고 다녀."

"그거 나 꼬시는 거야?"
"뭐, 그렇다면 어쩔래."
그렇게 말을 주고받다가, 우리는 급기야 서로의 몸이
빨개졌다는 것을 알아챘다.
"너 열나나 보네.. 몸이 엄청 빨개."
"네가 그렇게 말할 처지는 아니야 박유환."
우리의 관계는, 눈으로 서로를 바라봄으로써
더욱 깊어져갔다.
"나 얼굴이 너무 뜨거운 것 같아."
나는 그러면서 그의 손을 잡고, 내 볼 위에 올렸다.
"정말 그렇네. 너무 뜨거워."
"네 볼도 만만치 않게 뜨거울 것 같긴해.
왜이리 뜨거운 거지."
내 볼을 만지작- 거리는 그의 하얀 손은
목쪽으로 점점 내려갔다.
"하하, 야 뭐해. 아 간지러워."
"..."
"너, 나 좋아하지."
그가 갑자기 진지하게 말을 해, 나는 놀랐지만,
지금 상황에서 거짓말을 할 이유도 없었다.
"너무 좋아해."
"나도."

불덩이 같은 그는 나를 처음으로 안았다.

.애정

20XX.10.16
그는 나에게 또 다른 세계로 선사했습니다.
그는 나를 보며 웃었습니다.
행복하게 웃었습니다.
그의 눈은 너무나 행복해보였습니다.
하지만 제 눈은 이제 피눈물로 가득찼다는 걸.
알까요 그는.
지금 그에게 말하러 갑니다.
그리고 나는 포옹을 요청할 것입니다.
오래간만에 그를 보고싶습니다.
나를 절벽으로 빠뜨린 그를.

눈이 따가운 것 같아서 떠보니.
그가 커튼을 열고 있었다.
날씨는 비 대신 해가 이쁘게 떠 있었다.
내가 깬걸 눈치 챈 그는, 몽롱한 눈으로 나를 반겼다.
나는 그에게 다른 인사를 기대했다.

하지만, 내가 어떤 눈을 해도,
여전히 그는 같은 인사만을 했다.
내가 어제 무엇을 말 한건지 못 들었나?
생각이 들었다만, 못 들었을리 없다.
그렇다면 그는 거절..한 것일까?
그것도 말이 안된다. 거절을 했다면 안 했을거니.
그의 심리를 파악하는 것은 어렵다. 그래도, 이 정도라고?
아침부터 무리하게 머리를 많이 썼다. 머리가 아프다.
"원아야! 아침 먹어!"
그가 나를 부른다.
"어, 알겠어!"
아침을 먹고 있으면 뭐라도 풀리겠지, 하며
지끈거리는 내 몸을 스트레칭하고 부엌으로 간다.

아침을 먹기 위해 부엌 식탁으로 왔다.
"삼촌분은 어디 계셔?"
"아, 뭐 일찍 가서 살거 있다고 나갔어.
원아 너한테 나중에 셋이서 만나면 뭐 사주신대."
난 나중에 만날 때가 언제일까. 라는 웃픈 생각도 조금 했다.
박유환은 칼로 햄을 슥슥 썬다.
"너.. 칼질 잘하는 구나."
"응. 나 삼촌한테 요리 자주 배워서. 칼질 만큼은 삼촌보다 잘해."
그는 토스트 위에 햄, 계란후라이, 케첩, 마요네즈를 올려서
나에게 주었다.
그 옆에 방울토마토를 몇 개 얹은 샐러드.
깔끔하고 무겁지 않아서 아침에 먹기 완벽한 식사다.
그리고 아침을 먹으면서 그에게 어제 있었던 일을 얘기 할
마음으로 아침 준비하는 그를 구경했다.

나는 의자에 앉고, 박유환은 우유를 내 컵에 따라주었다.
우유를 한 입 먹고, 토스트를 깨물었다.
그는 내가 먹는 모습을 보고, 대화를 시작했다.
“근데 너, 부모님한테 허락 안 받고 우리 집에서 잔거야?”
“아니. 허락 받을 필요가 없어. 두 분 다 출장가셨거든.”
“아, 그러면 너 집에 혼자 있겠구나.”
|“그런 편이지.”
“아, 너희 반 역사 수행 봤어?”
“다 봤지. 기말이 2주 남았는데 진즉에 다 봤어.”
“아 큰일이네. 우리 반 공지도 안 내려 주셨어.”
“어떡하냐 너희.”
그는 밥을 먹을동안, 어제의 이야기는 정말 모르쇠 했다.
이건 안돼겠다.
나는 내가 먼저 어제의 이야기를 꺼내기로 했다.
“저, 박유환. 어제 있었던 일 말인데..”
그러자 그는 급하게 그릇을 치웠다.
“어, 어.. 뭐라고? 나 다 먹어서 이거 설거지만 하고
얘기해줄 수 있어?”
너무 티가 났다. 그가 일부로 회피하는 것을.
“... 알았어.”
나는 약간 화가난 것을 알리는 뜻으로
토스트 몇 입을 남긴 채, 자리를 나왔다.
나는 화장실로 가서 세수를 했다.
세수를 하는 도중, 이 물이 내가 세수를 하고 있는 물인지,
아니면 내 눈물인지 헷갈리기 시작했다.
너무 어이없다. 어제 나와 그렇게 했으면서.
어째서 그 일이 없다는 듯이 행동하나.

너무 어지러웠다.

 어느새 준비를 다 했다.
교복도 다 차려입었고, 머리 정돈도 다 했다.
그는 나를 불렀다.
“원아야 준비 다 끝났어? 가자!”
그는 날 데리고 현관문을 열었다.
한강이 반짝이고, 이 주위를 밝게 해주는 땅들은
초록빛이 내돋았다.
저 하늘은 어찌나 높고 높은지, 나는 저 하늘을
갖고 싶었다.
“우와, 오늘 날씨 진짜 좋네. 오늘 비 온다고 했는데
날씨예보 보니까 안 오는거 같아! 너랑 같이 있을 때마다
항상 날씨가 좋은 거 같아!”
저건 무슨 소리일까. 저렇게 긍정적이고 설레는 마음으로
어젯밤 이야기나 해줬으면 좋겠다.
미친 새끼가, 그는 다 잊은건가.
날 그냥 무슨 수단이나, 그런 것으로 생각한 것인가?
그렇다고 하기엔 나를 보는 그의 눈빛은 항상 진심이다.
난 어제 보았다. 좋아한다는 내 말에 ‘나도’ 라고
대답하는 그의 입.
아니면, 그냥 육체적으로 좋아한다는 뜻으로 말한 것인가.
아, 이렇게 계속 생각하면 결국 목적지는 없어진다.
그래, 그냥 이렇게 있을 수 없다 싶은 나는, 그에게 말했다.
“시발, 우리 무슨 사이야?”
 나는 걷던 몸을 딱, 멈추고 말했다.
어쩐 우연인지. 그 곳은 버스정류장이였다.
그는 어쩐지 당황한 모습보다는 ‘이 말을 기다렸다.’ 라는

얼굴이였다.
옆에서는 우리가 타야 할 버스가 오고 있다.
그는 이렇게 말했다.
“그, 원아야. 일단 버스부터 탈까? 이 버스 못하면 우리
20분 정도 더 기다려야 할거야.”
“버스 따위는 좆까라 해. 난 여기서 네 대답을 듣고 싶어.”
“....그래.”
긴장되는 상태에서 버스는 그냥 지나갔다.
그리고 나는 입을 열었다.
“솔직히. 나 너 좋아해. 어젯밤에 그런 마음이 더 커졌고.
네가 좋아한다고 물어봤는데.. 솔직히 당연히 그렇다고 하지.
그리고 했잖아. 우리는. 그러면 그 생각을 해서라도
아침에 같이 얘기를 해주어야 하는 거 아니야?
아니면 날 가지고 노는거야?”
말이 너무나 잘 나왔다. 그리고 약간 울음도 섞인 것 같다.
내가 왜 박유환에게 진심인지 나도 잘은 모른다.
그래도 너무 속상하고 가슴이 아팠다.
그 마음에 앙금이 남아있나. 라고 생각도 들었다.
분하게도 나만 이 관계에 진심이었나?
그렇다면 내 자신이 참으로 애석(哀惜)하다.
“그런게 아니야. 난 그저, 너를 너무나 좋아해서 그런거,
라고 말할 수 있겠네.
나도 너를 좋아해. 엄청나게. 그렇지만 내 이성은
너를 만나기엔 내가 너무 부족하다고 말하고 있었어.
너는 너무나, 완벽해. 이쁘고, 노래도 잘 만드는 천재고,
사람을 행복하게 만드는 법도 잘 알아.
그런데 너에 비해서 나는 부족해. 모든 걸.”
“개새끼야.. 그래서 말 안 한거야?”

“어젯밤은.. 분위기에 너무 타올랐었어.
그래서 내가 몹쓸 짓을 해버렸어. 그것에 대해서 사과하고 싶고, 또
내 마음을 전하고 싶어.”
박유환. 진짜 바보다. 그런 새끼를 좋아하는 나도, 바보다.
“난 네가 죽으면 좋겠어.”
“아, 아파. 원아야.”
난 그의 어깨를 툭툭 때렸다.
눈에는 기쁨과 안도의 눈물이 흐르고, 다행이다는 생각에
다리가 덜덜 떨렸다.
“난 또.. 나만 우리 관계에 짐심이고..
나만 널 좋아하고, 넌 날 가지고노는..
그런 건 줄 알았잖아. 네가 뭐가 부족해. 개소리 하지마.
너는 너무.. 사람이 따뜻하잖아.”
우는 나를, 그는 안아주면서 진정시켜주었다.
낮별이 우리를 화려하게 꾸며주면서 주위에는
자동차의 빵빵 소리가 들렸다.
하지만 내 귀는 그런 소리들에 집중하지 않았다.
나는 오직 그의 빠르게 진동하는 심장소리만을 추구했다.
박유환과 나의 몸은, 어젯밤처럼 빨개지고, 뜨거워졌다.
울음이 조금 멈췄나, 싶었을 때,
박유환은 나와 눈을 마주쳤다.
그는 상냥하게 내 닭똥같은 눈물을 닦아주면서
이렇게 말했다.
“원아야, 나랑 사귈래?”

손이 땀범벅이 되었다.
그는 버스정류장에 꼬옥 앉아서 내 손을 계속 잡았다.
어찌나 꽉 잡던지, 정말 내 손이 마비가 되는 것 같았다.

"야야.. 살살 잡아."
"왜? 아파?"
그는 아파냐며 걱정하는 것 같이 물어보고는, 정작
약하게 잡지는 않았다.
"아직도 눈물자국 있는거 봐."
"내가 누구 때문에 울었는데."
"아 미안하다고 했잖아~"
그리고 박유환은 내 머리를 자기 어깨에 기대게 했다.
"손 잡으면서 어깨까지 기대라고 하네..
나랑 붙어있는게 그렇게 좋나봐?"
"이래야 안정감이 들어.."
"지랄."
"그건 그렇고 버스는 언제 오는거야?"
"보니까 한 15분 쯤에 온대."
"아, 괜히 저번꺼 안 탔나."
그리고 우리는 그 긴 15분동안을 따분하게
시간을 보냈다.
멍을 때린 것은 물론이며, 하다하다 나는 약간 졸았다.
아침에 많은 걱정을 한 것이 그 이유였다.
내가 멍을 때려도, 하품을 하며 그의 어깨에서 자도,
그가 내 손을 꼭 잡는 건 여전했다.

한 10분정도 잤을까, 싶었다.
난 일어나보니 그으 어깨에 계속 기대고 있었다.
"뭐야, 너 어깨 안 불편했어?"
"응. 너 머리 작잖아. 그리고 나 어깨 힘 좋아."
"허, 참 작위적이세요."
"하하. 그래 그렇게 생각해. 그리고 이제부터

내 어깨에 좀 많이 기대어 줬으면 좋겠다.”
“왜?”
“너 내 어깨에 기대니까 거의 5초 만에 자던데?
편한가봐?”
“으응.. 솔직히 편하긴 했어.”

무슨 소리가 들려왔다.

덜컹-

우리가 타야 할 버스가 오는 소리였다.
“아 드디어 왔네. 타자.”
내 손을 꼼지락 꼼지락 거리던 그의 손은 어느새
지갑에서 교통카드를 꺼내고 있었다.
“아저씨. 청소년 두명이요.”
그것은 그의 작은 선물이였다.
그리고 우린, 버스를 같이 타면 항상 앉는
그 자리로 갔다.
그는 날 창가자리에 앉게 하고, 옆에 그도 앉았다.
그리고 앉자마자
“뭐야. 안 내주어도 되는데.”
“그냥.. 오늘 아침에 네가 마음고생도 많았기도 했고?
내가 내주고 싶어서.”
“플러팅 장인이야 아주.”
“설렜어?”
“솔직히 다른건 다 그저 그랬는데, 돈 내주는건
설렜어.”
“뭐야? 사귀기 전 내가 해준 것들은?”

"음, 네가 뭘 해줬었어?"
박유환 놀리기에 맛들린 나는 언제나처럼
그를 놀려댔다.
"허, 내가 막 기타도 쳐주고! 막.. 너 이쁘다고도 해주고!
뭐 이것저것.. 많이 해줬잖아!"
"워워.. 진정. 당연히 기억나지.
내가 기억 안 날까봐?"
"아 깜짝아.. 정말 네가 기억 안 나는 줄 알고
놀랐잖아. 심지어 우리 이틀 전에 처음 만나서
그 때부터 쭈욱 하고 있는 거거든?"
"만난지 얼마 안 됐네? 우리."
"얼마 안 된게 아니라, 그냥 거의 첫만남 수준이야."
"뭐 어때! 지금 서로 좋아한다는 게 중요하잖아!"
그 말을 들으니까 궁금해진게 하나 생겼다.
"그렇다면 넌 언제부터 날 좋아한 거야.
첫 만남? 그 전?"
"내가 말했잖아. 네 팬이였다고. 자세히 말하면
아마도 4년 전..? 부터지."
"오, 오래됐네."
"맞아! 완전 오래됐지~"
"그렇게 오래 좋아할 만큼, 내가 좋아?"
그렇게 말한 내 말을 들은 그는, 부끄러운지
고개를 돌려버렸다.
"뭐야.. 사람 부끄럽게끔.. 이번엔 내 플러팅에
네가 설렜지?"
그는 아무 말도 없었다.
그렇게 약간 무안할 때, 그가 입을 열었다.
아주 작게, 그러나 나에게는 들리게, 그는 말했다.

“응.. 좋아.”
그 날, 버스는 한가롭고 창백했다.

‘이번 역은 단애고등학교- 단애고등학교 역입니다-’
저 안내방송을 듣고서, 우리가 지금 학교에 가고 있다는
사실을 잊고 있었던 것을 깨달았다.
“시간이 빨리 간거 같은데. 벌써 도착이야?”
“나랑 있어서 빨리 간거야.”
“약간.. 부정은 못하겠다.”
난 내 핸드폰으로 시간을 보았다.
8시 20분..
난 그 시간을 보자마자 속으로 조졌다를 30번은 외친 것
같았다.
“야씨, 우리 조졌어. 8시 20분이라고. 늦었어.
조금 늦은 것도 아니야.. 등교시간 20분 까지니까
아예 늦었어..”
“어? 아.. 그래서 사람이 없었구나. 여기는 보통 직장인이나
고등학생만 많이 사니깐..
그래도 사람 없이 우리 둘만 가서 좋았어!”
“바보야.. 그게 중요한 게 아니야!”
그의 긍정적이고 무엇이든 멀리 보려는 사고방식은
나를 당황시켰다.
버스가 멈추었다. 난 살짝 뛰려고 했다.
그야.. 당연했다. 등교시간에 늦었으니 당연하게도
뛰어서 지금이라도 가야한다는 아주 모범생적인 생각이였다.
그러자, 박유환이 말을 했다.
“이미 늦은거, 굳이 뛰어야 해?”
박유환은 공부를 잘 하는 모습과는 다르게,

꽤 불량배 같아 보이고,
또 어찌보면 현실성 있는 꼴을 했다.
그런데, 쓰읍.. 그도 그렇다.
굳이 내 다리를 희생하면서 까지 모범적이게 행동해야 하나?
그는 나를 고민하게 만들었다.
만약, 내가 지금 뛰어서 교실에 들어간다고 해도,
어차피 지각처리다.
"굳이 그럴 필요는 없잖아? 하루 정도는 지각도 할 수 있는거고, 하루 정도는 자유를 갈망하면서 반항 해도 괜찮은 거잖아!"
그의 말은 나를 고민하게 했다.
"자유를 갈망한다라.."
왠지 말이 좋다.
"그럼 우리, 편의점 들렸다 갈래?"
이 아무것도 아닌 행동은 우리 관계를 더 맞추어 주고,
발전하게 해주었다.

"뭔가 너 때문에 양아치가 된 기분이야."
"무슨 양아치야! 내가 말했잖아 하루 정도는 괜찮다고."
"흠.. 네 얼굴이 뭔가 양아치 같은 것도 한 몫 하는 것 같긴해."
"뭐래.."
"솔직히 봐봐. 너 다크서클은 그냥 말만 하면 입 아프고,
지금보니까 귀에 피어싱도 2개 씩 했네?
그냥 코에도 하고 입에도 하고 다 하지 그래?"
나는 그의 볼을 콕 찝으며 말했다.
"오 말랑해. 보기와 다르게 귀엽네?"

"오늘은 나보다 네가 더 플러팅 많이 하는거 같아.."
"그래서 싫어?"
"아니."
"하하, 너 진짜 웃겨."
그러다가 배가 고파졌다. 갑자기.
아까 아침도 먹었는데. 왜 배가 고픈 걸까. 라고 생각을
계속 해본 결과, 아까 박유환과의 대화에서
걱정이 되어 잘 못 먹은 점을 생각해냈다.
"너 배고프지. 지금."
박유환은 유령같이 내 마음을잘 파악했다.
"뭐야? 어떻게 알았어?"
"그거야.. 넌 표정에서 다 티가 나잖아."
"아까 아침에 네 눈치보느라 잘 못 먹었어."
"아이구.. 그러면 뭐.. 내가 사야겠네?"
"정말?"
내가 너무 티나게 좋아했는지, 그는 내가 말을 하자마자
마구 웃어댔다.
"아, 너무 귀여워. 너."
"아 웃지마.. 솔직히 쪽팔린다고."
박유환은 큰 키 때문에 날 밑에서 내려봐야 했었기에,
날 쓰다듬는 행동은. 나를 너무 설레게 했다.
그는 나를 위해서 삼각김밥과, 내가 많이 먹는 초콜릿
한 개를 집었다.
"그 초콜릿. 나 좋아해. 나 그거 좋아하는거 어떻게 알았어?"
"네 가방 보니까. 쓰레기들이 흘러넘치던데? 그 중에서
이 초콜릿 비닐만 5개 정도 있었어."
"눈썰미 좋아."
"내가 눈썰미가 좋다고 치기에는 네 가방이 너무 더러웠어..

좀 정리 해."
"아주 그냥 나 낳았지? 내 엄마하지 그래?"
"마음만으로는. 네 집가서 살고싶다."
"허, 개소리.."
"왜, 싫어?"
"아니 그냥.. 좋아서. 그러면 오늘 우리 집 오던가."
"네가 초대해 주는거야? 그럼 부담 갖지 말고 갈게?"
"그걸 노린거지? 내 집 가고 싶은거.
정말.. 너는 목적이 있으면 끝까지 잡는구나.
몇 수 앞을 본거야."
"네가 우리 집에서 잤으니까, 나도 네 집에서 자고 싶어서.
너도 좋지?"
"그래. 좋다 좋아."

삐빅-

'3600원입니다.'
"네 카드로 부탁드려요."
"나가자. 이번에는 진짜 늦어."
"괜찮다니까~ 우리 담임쌤은 아 하도 많이 늦어서
그냥 익숙해 지셨잖아."
"우리반 쌤은 아니야.."
난 그와 투덜거리며 편의점에서 나왔다.
그리고 그에게 내가 느낀 것을 말했다.
방금 전까지 알바생이 우리를 째려본 것 말이다.
"아까 편의점 알바생분 말이야.. 우리 째려보는 것 같지
않았어?"
"음, 솔직히 느꼈어. 너무 티나게 째려보시더라고.

그거 모른척 하기 좀 힘들었어..”
“우리가 뭔 잘못 한거야? 왜 갑자기 째려보시지..
아, 고등학교 교복을 입고 있었는데 아직도 등교를
안 해서? 아니면 내가 우리 집 가자해서?”
“에이.. 뭐 그리 남 시선을 신경 써?
그냥 우리끼리 즐겁게, 행복하게 지내면
그걸로 끝이야! 저 사람이 우리 일생을 뒤흔들 것도 아니고!
그러니까 너무 신경 쓰지마~”
“오, 그래 네가 그러면 나도 그래야지.”
“왠일로 불평 안 해? 대박이다.”
“내가 언제 불평을 했다고.. ”
“하하. 진짜 웃겨. 너 이틀 차이로 많이 변했다.”
그는 날 보고 귀엽다는 듯 비닐을 깐 삼각김밥을
내 입을 향해 돌진했다.
그리고 맛있게 먹는 나를 보며 온화한 미소를 지었다.
미소는 과연 갸륵했다.
우리는 철 없게 웃으면서 천천히 학교로 다가갔다.
평소면 걱정되는 이 길을, 박유환과 함께 걸으니
높은 하늘에 있는 구름이 더욱이나 몽실몽실 하니 이쁘다.
우리도 저 높은 하늘처럼 끝없이 이어지는 구름이기를.
나는 속으로 기도했다.

걷다보니 드디어 학교 교문이였다.
“으, 왜 벌써 도착이야.”
“싫은 티 너무 내는거 아니야? 수업이 그렇게 싫어?”
“수업도 그렇고.. 제일 싫은 건 따로있어.”
나는 제일 싫은 것이, 수업 따위가 아닌
“그야 학교에 오면 널 계속 못 보잖아. 심지어 수업도

다 안 맞아서 마주칠 일도 없고..”
그는 갑자기 웃기 시작했다.
“아 귀여워 죽겠네..아, 날 왜이리 좋아하는 거야..”
“솔직히 재미없는 수업만 할 빠에는 널 보러가는게
나한테는 더 관심인 일이야.”
우리는 약간의 대화를 한 뒤, 교문으로 학교를 들어가려 했다.
그러자, 나에게 한 사람이 보였다.
“야, 박유환 박유환. 학주. 우리 큰일나.”
“뭐? 학주가 아직도 있어? 20분이나 지났는데?”
“아 이거 어떡하냐.. 음..”
난 머리를 굴려보다, 갑자기 내가 박유환을 닮아져 가는 것을
느꼈다.
“아, 그러면.. 말도 안돼는 말이지만, 담을 넘어볼까?”
담을 넘자. 라는 생각 자체가 박유환같은 당황스럽고
엉뚱한 이야기였다.
나는 박유환도 이건 아니라고 하겠지. 라는 생각이 들어
빨리 말을 바꾸었다.
“하하.. 그래도 그건 미친 짓이겠지.. 그냥 학주한테
순순히 벌점 받는 것도 괜찮을 거 같은데..”
그러던 중, 박유환의 얼굴이 빛의 속도 만큼 빠르게
바뀌었다.
새로운 깨달음을 얻은 얼굴이였다.
“담을 넘자라.. 좋은데?? 뭐야, 너 머리 좋잖아 원아야!”
박유환은 자신을 닮아가는 나를 꽤 좋게 여기는 듯 했다.
아니 그래도. 담을 넘는다는 것은 말이 안된다.
“아니, 장난이잖아 장난.. 세상에 머리도 좋은 너가
담을 넘는다는 건 말도 안될거라고 생각할 줄
알았더만.. 나보다 더 심하네..?”

"나 원래 이러잖아~ 그래도 사귀는 사이인데 몰랐어?
실망이야.."
"그래도 1일차인데! 모를 수도 있지!"
내가 그렇게 말하는 동안, 그는 이미 담을 넘을 준비를 하고 있었다.
그는 가방을 담 넘어 던지고, 스트레칭을 했다.
"조심히 넘어와."
그리고 그는 높은 점프력으로 학교 안에 들어갔다.
"잠시!! 나 담 넘어보는 건 처음인데.."
어리석은 두려움이 나를 붙잡았다.
"걱정마. 내가 너 내려올 때 잡아줄게. 넌 그냥
뛰어내려오기만 하면 돼!"
일단 나는 내 백팩을 힘껏 그가 있는 곳으로 던졌고,
나풀거리는 교복 치마를 신경쓰면서 겨우겨우 담을 올랐다.
그가 할 때는 별거 아닌 것처럼 보이는 일이, 나에게는
보통 어려운 것이 아니였다.
살짝 손이 까졌다. 벽돌이 여간 까칠한 게 아닌가 보다.
그 상태에서, 난 아래를 보았다.
역시나, 예상처럼 엄청 높았다. 엄청나게 무서웠다.
나는 두려운 마음에 손을 덜덜 떨며
그에게 말을 걸기 시작했다.
"...나 이거 안죽겠지..?"
"당연하지! 나 멀쩡해! 내가 조심히 잡아줄게.
나 믿지?"
나를 안심시키는 그를 보며, 나는 용기를 다시 한 번
품고서 그를 향해 뛰어내렸다.
눈을 딱 감은 상태로.

공중에 떠 있는 느낌이 났다.

약간 롤러코스터를 타듯이 스릴이 넘치기도 했다.
하지만 안전장치가 없는 롤러코스터 같았으므로
내가 떨어지는 사이, 나도 모르게 무서움에 발버둥 쳤을지도 모른다.
그리고 갑자기 무엇인가.. 푹신하고 편안한 느낌이였다.
난, 눈을 떠보니 박유환의 품 안에 안겨져 있었다.
그것도 공중에서.
“어때? 가끔은 이런것도 은근 재밌지?”
위에서 보는 그의 모습은, 어제 다친 입술 상처가
아주 잘 보였다.
이유 모르게 신난 그는 나를 높게 안으며 주위를 빙글빙글
돌았다.
“야..야! 무서워 내려줘!”
“담도 무서워서 못 뛰어넘으려 했던 애가,
이젠 이런것도 무서워해?”
“그래도 담은 어찌저찌 넘었잖아..”
“그래. 그건 잘했어.”
그렇게 그와 실랑이를 벌이다가, 내가 뛰어넘은 담을 보았다.
“왜 그렇게 담을 뻔히 쳐다봐? 뭐 있어?”
“아니.. 막상 올라가면 엄청 무서웠는데, 여기서 보면
아무것도 아닌 것처럼 보여서.”
“정말.. 너 어떻게 보면은 바보같은거, 알아?”
“아까부터 말하는데.. 나 담 넘었다니까!
빨리 칭찬해 달라고!”
“그래, 솔직히 처음이고 무서웠을텐데, 그럼에도 잘 해냈어.”
박유환은 안은 나를 내려주면서 그렇게 말했다.
그리고 나를 보며 대단하단 듯이 머리를 쓰다듬어 주었다.
“나 안 무거웠어?”
“응, 가벼웠어.”

"요즘 살 찐거 같은데.."
"아니야! 네가 뭐가 살쪘다고! 너 더 먹어야해!"
"쉿. 쌤들한테 걸리겠다."
내가 그 말을 하고, 박유환은 뭔가 자기 말을 무시한 것
같단 마음이 들어 시무룩해졌다.
"뭐 그리 시무룩해졌어. 괜찮아?"
"내 말 무시하지 말라고.."
"알았어~ 너무 그렇게 삐지지는마."
그는 너무 단순하게도 내 말 한 마디, 한 마디에
기분이 좌우로 바뀌었다.
"이제 학교로 들어가자."
박유환은 투덜투덜, 날 따라 간다.
가끔은 이런 반항도 괜찮을거라는 생각을 하고,
박유환과 손을 마주하며 교실로 돌아간다.

이제 교실로 거의 도착했다.
박유환과 나는 힘들게 계단을 탄 이유 때문인지,
서로가 힘들어 보였다.
체력이 꽤 되는 박유환도 어찌나 힘들어 보이는지, 손을 계속
잡고 있는게 미안해졌다.
"너 땀범벅인데, 그냥 손 놓을까?"
"아니! 내가 좋아서 잡는거야! 혹시 넌... 불편해..?"
"안 불편해. 전혀. 그냥 너가.. 힘들어 보여서."
"나 하나도 안 힘들어! 계단 오르는 건 힘든데,
너랑 손 잡는건 오히려 너무 좋아!"
"하하하.. 알았어. 그럼 손 잡자. 계속."
그렇게 힘든 고비를 넘기고 우리는 9시 30분이라는
시간에 드디어 우리의 교실에 도착했다.

"뭐야? 아까부터 왜 이렇게 시간이 빨리 가지..
우리 미인정 결석이야."
내 걱정스러운 말과는 다르게, 내 말투는 웃으며
여유롭게 말하고 있었다.
그것으로, 내가 박유환을 점점 닮아가는 것을 느꼈다.
"뭐야, 시간이 진짜 빨리가네.. 나도 몰랐어."
그의 말에 놀란 감정이 느껴진다.
"난 너를 너무 좋아하나봐. 시간이 쉴틈없이 가."
내가 그렇게 말하자마자, 박유환의 얼굴은 빨개졌다.
볼만했다. 이번에는 내가 먼저 그에게 다가간 것이다.
만세!
".. 이제 서로 반 가자."
"알았어. 쉬는시간에 몰래 찾아와. 아니면 또 애들이 놀려."
그리고 내가 반 뒷문으로 들어가려 하자마자,
그는 아쉽다는 표정을 나에게 보였다.
나는 당연히 날 몇 분동안 못 보니까 저러는 거라고
생각했다.
그래도, 몇 분만 참으면 되니까.
난 뒷문을 열려하자마자,
"원아야."
박유환은 내 이름을 불렀다.
그리고 그는 나를 자기 쪽으로 돌리고는,
–
박유환은 내 이마에 살짝 키스를 했다.
"아, 나도 드라마에서 보던 그런거 해보고 싶었어.
이제 됐다... 이따 봐 원아야."
그리고 자기 말만 하고 반으로 가버렸다.
난 너무 당황했는지, 한 동안 얼음덩이처럼 가만히 있었다.

“저... 미친새끼..”
내 손으로 빨개진 이마와 볼을 감싼다.
최대한 내 차가운 손으로 얼굴을 식히고, 아무 일 없던 척
반으로 들어갔다.
반으로 들어가니, 반 친구들의 시선이 느껴졌다.
‘원아야 늦게 왔네? 자리에 앉으렴.’
다행히 친절하신 선생님이셔서 난 바로 내 자리에 앉았다.
내가 의자에 앉고, 내 가방을 옆에 걸자마자
옆에 있던 친구가 어떤 종이에 펜으로 빠르게 무엇을
적었다.
그리고 그것을 선생님 몰래 나에게 주었다.
그 종이를 펼쳐보니, 이런 문구가 적혀있었다.

‘너 얼굴 진짜 빨개. 무슨 일 있었어?’

내 볼이 빨간게 티가 그렇게 나나. 나는 필통에서 내 볼펜을 찾고, 이렇게 썼다.

‘잠시, 설레는 일이 있어서 그래.’

오늘 아침은 정말 최고의 아침이였다.
인생 처음의 감정과, 인생 처음의 반항.
그리고 잘 풀린 내 모든 일.
그럼으로 내 주위의 모든 것이 다 아름다워 보였다.
아, 기쁜 웃음소리와 깨끗한 내 교실.
그리고 빈틈없는 그들.
나를 더 들뜨게 했다.

어느새 2교시가 끝이 났다. 물론 하루종일 자긴 했지만
나는 그덕에 피곤할 틈이 없었다.
교실 문이 똑똑하고 소리가 나더니, 박유환이 나타났다.
그는 나를 부르고, 나는 그에게 달려갔다.
그리고 그를 보자마자 그를 꼭 안았다.
“뭐야. 왜 아까보다 기분이 더 좋아보이지?”
“2교시 한문이였는데, 쌤이 안 자습시간 주셔서 잤는데,
나 안 깨우셨어. 너무 푹 잔거 있지.”
“그래? 기분 좋았겠네.”
박유환은 내 머리카락을 하나하나 세듯 머리를 만졌다.
“아, 나 줄거 있는데.”
그는 재빨리 반으로 가서, 가방에서 급히 무엇을 챙겨왔다.
“아까 아침에 주려고 했는데 네가 너무 울어서.. 지금 주네.”
그의 손에 있던 것은 초코우유 두 개였다.
그는 그것을 들고, 계단으로 갔다.
그리고 계단에서 풀썩- 앉았다.
나 또한 그의 옆에 앉고, 그는 내 머리가 그의 어깨에
가도록 날 기대게 했다.
“자, 먹어.”
“오, 초코우유 고마워.”
그는 빨대 꽂은 초코우유를 나에게 넘겼다.
나는 그것을 한 모금 마셨다.
“달다.”
“초코우유이니까.”
“그래. 그렇게 내 말에 반박해야 박유환답지.”
우리는 초코우유를 마시면서 밖에서 들려오는 시끄러운 매미의 소리를 듣는다.
난 내 귀가 찢어질 만큼의 큰 소리에 짜증이 났다.

"매미가 짝을 찾기 위해 소리내어 울고있어.
너무 시끄러운데."
"나는 매미 은근 좋은데. 항상 내 여름에는 매미가 화룡정점이였거든.
언제나 매미가 있어서 여름이 즐거웠어.
예를 들면, 지금이네."
그는 언제나 긍정 타령이었다.
"음.. 매미 덕분에 완전한 여름으로 완성되긴 하는데,
딱히 좋게 보지는 않아."
"그래? 그래도.. 불쌍하지 않아?"
"불쌍하기야 하지. 그런데 지금은 내가 더 불쌍해.
기말 스트레스에, 미래 고민에, 이만저만이 아니야."
"그래도. 넌 내가 있잖아."
"그래. 그래서 한결 나아졌어."
그러고 보니까, 무엇인가 허전하다.
"왜 사람들이 없지. 우리 둘만 있는거 같아."
"곧 기말고사여서 다 반에서 공부 중이야.
아무도 없을만 하지."
"음.. 다들 열심히 하는구나. 기말이라 짜증났는데
이거는 좋네. 단 둘이 있어도 눈치 안 받는거."
"원아는 어차피 공부 안 하지 않아?"
"이게."
"아, 이마 때리지마. 사실 이거 나도 좋아.
하루종일 우리 둘만 있었으면 좋겠다."

여름이여서, 아무리 실내여도 더운 것은 마찬가지였다.
난 그의 열은 어느정도인지 궁금해서 자연스럽게 그의
목을 만졌다.
"오, 진짜 뜨거워."

그의 목은 불에 달군 공기 같아서, 나는 놀랄 수 밖에 없었다.
“요즘 진짜 더우니까. 가만히 있어도 태양이 나한테만
오는 거 같아. 심지어 나는 더위를 잘 타는 편이거든.”
그런 그의 말을 들어니까, 그와 붙어있는게 미안해졌다.
“좀 많이 뜨거운 거 같은데..
너가 괜찮다면 떨어질까 하거든?”
우리는 너무 달라붙어있었기 때문이다.
“떨어지고 싶지는, 않지?”
“당연하지. 난 열사병에 죽는 한이 있어도, 너랑은 떨어지기
싫어.”
“내가 떨어지고 싶은데?”
농담으로 그에게 그런 말을 했다. 박유환 놀리기는 언제나
해도 재밌었다.
그러나 옆으로 슬쩍 본 그를 보니까 시무룩하고 슬픈,
약간 귀여운 표정을 하고 있었다.
“장난이야 장난.. 난 당연히 너랑 떨어지고 싶지 않지!
안 그래?”
“난 너랑 떨어지기 싫다고...”
박유환은 그러면서 그의 양팔로 나를 안았다.
“아, 알았어. 나도 너랑 떨어지기 싫어.”
그렇게 그에게 안기고 있던 중, 난 우연히 시계에 나와있는
시간을 보았다.
쉬는 시간 끝나기 1분 전 이였다.
“이제 반으로 가자. 1분 전이야.”
박유환을 아쉬워 하며, 센스 있게 내 손에 있던 다 먹은 초코우유를
가져가, 쓰레기통에 버렸다.
난 뒷문으로 들어가려 했다만, 박유환에게 원하는 것이
생각나기 시작했다.

"박유환."
"응?"
"나, 원하는 거 하나 있어."
"정말? 뭔데. 내가 들어줄게."
".. 이번에는 안 해줘?"
난 무엇인가 기다렸다.
박유환은 그것을 눈치챌 때까지, 정확히 5초 걸렸다.
그는 신나게 양팔을 벌리고, 나에게 뛰어왔다.
그리고 나를 품에 꼭 안고, 이번에는 볼에 키스를 해 주었다.
그의 퓨어하고 달달한 향기가 풍기운다.
그리고 그 모습으로 어느정도 지났을 무렵, 그는 말했다.
"이게 얼마나 좋았으면 그래? 이제 떠날 때 계속 해줄게."
난 그 말이 내 귀에 들려오자, 잽싸게 그를 밀쳐내고
반으로 들어갔다.
역시나 공부하는 우리 반 사이에 내가 너무 시끄럽게 들어온걸까. 모든 학생들이 다 나를 쳐다보았다.
나는 역시나 모른 척 하고, 내 자리에 앉았다.
자리에 앉고나서 드디어 알아챈 것은,
내가 너무나도 뜨겁다는 것이였다.

박유환 없는 시간은 보통이 아니게 거북이 같았다.
특히 계속 앉아있어야 하는 수업 때는 더욱 그랬다.
난 필통에 쑤셔져 있는 영수증을 보았다.
그래, 이거라면 시간을 때울 수 있겠다고 생각해,
이제부터 시간이 천천히 간다고 생각할 때마다 그 종이를 두 번 씩 찢었다.
수업에 집중을 안 하는 나의 조그마한 딴 짓이였다.
아무 생각 없이 영수증을 계속 찢자, 그 영수증은 어느새 산더미처럼 수북해졌다.
전부 가루가 될 정도로 작았었다.
나는 한동안 그것을 보며 멍을 때렸다.
머릿 속으로는 박유환을 생각하면서.
그리고 그를 만날 수 있는 쉬는시간과 점심시간이 되는 종이 울리면,
나는 하던 것을 그만두고 곧장 그에게로 뛰어갔다.
그럴 때마다 그는 어찌나 빠른지, 이미 내 반 앞에 있었다.
쉬는시간에는 계단에서, 점심시간에는 뒤뜰에서 그를 만나며
오늘을 보냈다.
점심시간이 되고, 난 배고픔을 뒤로하고 그와 뒤뜰에서 대화를 하고
있었다.
“유환아. 갑자기 생각난건데, 우리 노래 준비는 언제 할거야?”
“아, 그거 지금 말하려 했어! 오늘 네 집 가니까, 그 때 곡
만드면 좋을거 같아!”
“어.. 우리 집 진짜 가기로 한거야?”
“당연하지! 네가 된다고 했잖아!”
나는 어제 집 청소를 안 해서 방이 어지러웠던 것을 생각해냈다. 그리
고 속으로 제기랄. 이라며 욕을 했다.
“음.. 그래 알았어. 그 때 하자.”
그래도 거절하기에는 그와 함께 있지 않을 시간이 너무 아까워서. 어
찌 되겠지 라는 마음으로 말했다.
“그럼, 곡 표지는 다 촬영했고, 내가 어떤 느낌인지..
기타 코드를 한번 짜봤는데, 집에서 같이 들어보자.”
“기타 코드.. 내가 짜려 했는데. 그래서 내가 어제 너한테
레슨도 받은거잖아.”
“솔직히 말해서.. 네가 짜는거보다 내가 짜는게 더..
괜찮을 거라고 생각해서.. 아니면 그냥 너가 짤래?”
“아니야. 사실 나도 기타 못 치는거 알고있어서.. 오히려

네가 짜는게 더 좋을 수도 있어."
"그거 좋네! 그럼 이따가 너희 집 가기만 하면 완벽하겠다!"
그는 완벽한 계획을 가지고 있는 것 같이 말했다.

'갈 준비 했으면, 청소당번들 청소 잘 하고 주말 잘 보내라 얘들아.'
모든 학생들이 좋아하는 담임선생님의 종례소리가 반에서 퍼졌다. 복도는 순식간에 시끄러워지고,
난 누구를 찾으러 갔다. 누군지는 이제 뻔했다. 박유환이다.
"이번에는 네가 먼저 왔네?"
"오늘 담임쌤이 종례 일찍 끝내주셔서! 엄청 일찍 끝났어."
"그래. 그러면 빨리 버스타러 가자."
"응! 아 맞다, 우리 만나는거, 얘들한테는 비밀인거야?"
"뭐.. 어찌저찌 그렇게 되었는데, 네가 좋으면
공개로 해도 좋아."
"아니아니! 공개로는 절대 싫어!!"
공개연애로 하기에는 부담스럽다는 생각에 열렬히 부정했다.
그리고 그런 내 반응을 보고 박유환은 웃으며 말했다.
"엄청 싫어하네. 뭐가 문제길래 그렇게 싫어해?"
"그야.. 우리 공개로 연애하면 반 애들이 나한테 와서
막 얘기걸고.. 반응도 많이 하고.. 그런게 너무 싫어.."
난 박유환과 계단을 내려가면서 하소연했다.
"알았어. 사실 나도 공개로 할 생각을 없었거든."
"다행이다.. 공개로 했으면 그냥 헤어졌어."
"뭐?? 진짜로?!"
"아니? 당연히 뻥이지."
"아, 사람 놀라게 좀 하지마.. 그래도 나랑 헤어지기는 싫지?"
"너가 하는거 봐서?"

“야..진짜..”
“하하, 아니야. 안 헤어지지. 이제 좀 빨리 걷자. 곧 있으면
사람들 몰려와서 버스에서 앉아서 못 가..”
난 그의 손을 잡고 빨리 달렸다.
박유환은 내 손을 더 꽉. 잡았다.
그 이유가 버스에 앉아서 가고 싶은건지, 그냥 내 손을
더 깊숙이 잡고싶어서 인지. 난 아직도 헷갈린다.

박유환과 교복을 입은 학생들이 수북하고 복잡한 버스정류장에서 버스를 기다렸다.
육체로 타들어가는 이 폭염 속 바람이 오늘따라 왜이리
영원할 것 같은지.
아니면 네가 곧 여름 자체여서 그런 것인지.
이 온도 속에 파묻혀지고 싶었다.
나는 버스가 올 때까지 뜨거운 정류장 의자에서
그의 얼굴을 한동안 빠안-히 쳐다보며 멍을 때렸다.
그는 나의 장단을 맞춰주기라도 하려는 듯, 나를 보며 살살 웃음을 씨익 지어주었다.
그 웃음은 나를 재미있게 만들었고,
그것은 우리의 관계가 더 싶어지고 있다는 짐작 중 하나였다.
그러다, 다른 애들의 시선이 느껴졌다.
그들의 시선은 여전했다.
‘와 진짜 사귀네.’ ‘아니 남자가 개쓰레기라고.’
‘근데 쟤네 진짜 사겨. 내가 쉬는시간에 둘이 같이 있는거
봤다고!’
분명 어제와 닮은, 어찌보면 똑같은 이야기지만,
우리는 그것을 들으며 큭큭 웃어야 하기에.
우리는 우리만의 우주 안에 갇혀있어서

다른 행성들의 말이 정말로 하찮고 재미있었다.
“야, 네가 나 좋아한대.”
“우리 사귀는 거 아니였나?”
“아, 쉿!”
“장난이잖아 장난~ 뭐 그리 심각하게 굴어.”

물론 우리가 초등학생 이였으면 그 학교 공식 커플이 되어서
놀림을 받을 정도로 유치한 것을 우리가 제일 잘 알고 있다.
하지만 지금 우리는 그런 유치함과 장난끼가 필요했다.
우리의 감정은 삭막했었기 때문이다.
그 덕에 우리는 그 짓을 사랑하기로 했다.

뜨거워진 머리와, 땀 범벅이 되어서 약간 젖은 교복을 보며.
햇볕은 우리를 좋아해서 우리에게 다가오는 거구나. 라는
긍정적인 생각을 했다.
버스에 들어서고, 엄청나게 많이 쓰는 교통카드를 찍었다.
그렇지만 사람이 너무 많은 탓인지, 버스의 남는 자리는 단 한 개도
없었다.
아쉽다. 라는 생각을 했지만, 운이 좋게 어느 사람이 자리를
빼는 것을 보았다.
난 그 자리로 다가가서 앉으려 했지만, 아쉽게도 그 자리는
한 사람만 앉을 수 있는 자리였다.
아픈 다리를 참고 서서가려는 내가 그에게 눈에 띄었을까,
“그냥 앉아! 자리 한 개 밖에 안 남았고.. 너 다리 힘들잖아.”
“내가 어떻게 널 두고 앉아. 난 괜찮으니 너 앉거나, 둘 다
서서 가자.”
난 그를 자리에서 먼 곳으로 끌고갔다.
그는 복잡한 버스에서 넘어지지 않기 위해 손잡이를 잡았고,

나는 손잡이로 그의 팔을 잡았다.
"왜 내 팔 잡아?"
"네 팔이 더 편해. 불편해?"
"아니, 좋아서."
버스가 움직이고, 사람들이 많아 그 사람들과 부딪히는 것은 흔한 일이였다.
"괜찮아? 나한테 더 붙어"
그는 너무 상냥하게 나를 자신에게 더 붙게 하고,
그대로 버스는 별 타령없이 쭉 갔다.

고된 버스 안에서 살아남은 후,
이제야 내 집에 도착했다.
집은 5층이고, 엘리베이터는 없었기에 우리는 몹쓸 계단으로 다닐 수 밖에 없었다.
언제나와 같이 힘들게 내 집의 현관문 앞에 도착했고,
나는 손으로 가리면서 비밀번호를 입력했다.
그리고, 문이 열였다.
내 마음은 지금 당장 침대에 누워있고 싶었지만,
박유환이 있었기에 그럴 수가 없었다.
냉장고에 꺼낸 찬 물을 컵에 담고, 박유환에게 주었다.
그는 살 것 같다는 말을 하고, 우리는 방으로 들어갔다.
그러다가, 생각났다. 내가 방 청소를 안 했다는 것을.
"아, 잠시 기다려봐!"
박유환이 바로 방 문 앞에 있을 때, 나는 급하게 방으로 들어갔다.
그리고 차례대로 옷더미 치우기, 컴퓨터 케이블 정리, 쓰레기를 쓰레기통에 넣기, 등을 완료했고, 땀투성이로 그에게
들어오라고 말을 했다.
"뭐야? 방 완전 깨끗하다!"

그에게 그런 말을 들어, 그래도 방 정리하길 다행이다라고 생각한 도중,
“근데 이건 뭐야?”
그가 책상 아래에서 무엇을 찾았다.
어느 것인지 궁금함 반, 걱정 반으로 찬 나는 조심스레 그가 본 것을 쳐다봤다.
그것은, 내 작곡 정보를 담은 종이였다.
그 종이를 펴보니, 정겨운 말들이 지나갔다.
내 곡 이름과, 그것에 대한 스크립트가 적혀있었고, 나는 그것을 보자마자 아, 하고 기억이났다.
“난 항상 곡 스크립트를 공책에 적는데, 언제 한 번 스트레스를 받아서 와장창 찢은 거 같아.”
말 그대로다. 나는 3개월 전, 공책을 찢었다.
그저 내 노래 스크립트를 보기 싫다는 것 하나로.
지금 생각하니 너무 바보 같고 이상한 사람 같아서 말을 안 하려고 했지만, 난 박유환의 옆에 있기만 하면 말 하기 싫은 비밀도 술술 나온다.
“어, 나 이 노래 제일 좋아해! ‘영원한 환상’ 이거 말이야.
솔직히 네가 들어도 엄청 좋다고 생각했지?
난 항상 이 노래를 들으면서 자거든. 다 외운지 오래야!”
“이 노래가 그 정도야? 난 그저 밤 공기를 마시며 가사를 쓴 것 뿐인데.”
“나에게 이 곡은 위로 그 이상을 능가해. 너무 좋잖아!”
난 종이를 한 번 더 보았다.
영원한 환상, 이것은 내가 싱어송라이터를 그만두기 바로 전에 만든, 그저 내 마지막 곡이다.
이것이 그렇게 좋나. 난 고민했다.
옆에서 박유환의 작은 미소가 보인다.

평소에 이 종이를 보았다면 바로 찢어버리기 마련이겠지만,
오늘은 웬일인지 그 종이를 정성스레 피고서, 책상 위에
가지런히 놓았다.

"이제 마지막 노래 만들 준비. 시작하자."
박유환은 말했다.
난 그가 있으면 항상 준비 완료 되어있었다.
"일단 코드는 이렇게 생각하고 있어. 네 곡은 항상 분위기가
잔잔하잖아?"
그가 기타 코드 종이를 주었다. 그 종이에는
'CM7-D9-Gm7-CM7-Am7-B7' 라는 코드가 적혀있었다.
나는 침대 옆에 있는 기타를 들고, 그에게서 이 코드를 쳐달라고 부탁하는 듯 기타를 전달했다.
그가 기타를 치고, 방은 기타소리로 가득 찼다.
이 곡은 약간.. 내 곡이랑 많이 비슷해 보였다.
"이 기타 코드, 좋을 거 같아. 분위기가 좋아. 잘 짰네?"
내가 칭찬해주자 박유환은 해맑게 기뻐했다.
"그러면 멜로디와 가사.. 무엇부터 정할까?"
"난 보통 멜로디-코드-가사-수정 이런 식으로 정해."
"뭐야 멜로디가 먼저였구나... 뭐 상관없어! 그러면 가사를 먼저 정하자! 가사는 약간 생각해왔어!"
엉망진창 순서가 되었지만, 그것 또한 좋은 곡을 만들 수
있는 과정이 될거같다.

"내가 짠 가사 스크립트야. 봐줄래?"
난 박유환이 짰다는 가사를 보았다. 가사는 하나같이 서정적이면서도,
주로 내 노래에 자주 들어가는 단어들이였다.
"너, 내 노래 진짜 많이 들었나보구나. 단어들이 하나같이

다 내 노래 분위기와 비슷해."
"네 노래에 너무 익숙해졌나봐. 가사가 네 곡이랑
비슷한 면이 있지않아?"
"그러고보니.. 도입부 가사가 내 첫 곡이랑 비슷하네?"
"그래! 내가 그것을 노렸어! 내 수미상관 구조 어때?"
"수미상관...? 그게 뭐야?"
"...작년 1학기 기말에 나왔잖아.."
"그딴거 기억 안나."
"음.. 아무튼 그래! 가사중에 무엇 수정할 부분 있어?"
난 가사를 전체적으로 유심히 살펴보았다.
"기타 코드를 들으면서 느낀 건데, 이 곡의 분위기는
약간 슬픈 분위기이니까, 아홉 번째 줄에서 '해바라기 속에서'
보다는 푸른 느낌의 '수국 안 쪽에서' 가 더 잘 어울리는 거 같아."
내가 한 코멘트가 그에게 멋지게 다가왔을까. 그는 나를
존경스러운 느낌으로 보았다.
"코드만 들어도 수정할 가사가 막 떠올라..? 너 진짜
멋있다. 정말."
그의 칭찬은 날 과분하게 하면서도, 기분이 좋았다.
"뭐.. 오래하면 이렇게 되더라. 근데 가사는 전체적으로
잘 짰어. 이런 것만 빼면 코멘트 할 부분은 딱히..?"
"내가 네 4년차 팬인데! 이 정도야 당연하지!"
"그것만 몇 번째 말하는 거야."
"아 볼 잡아당기지마.."
"그러면, 가사는 멜로디 만들고나서 조금씩 수정하기로
하자."

멜로디를 정하는 것은 나에게서 참으로 어려운 일이였다.
컴퓨터를 키고, 곡을 올리는 사이트와 곡을 만드는 앱.

두 개 다 들어갔다.
“오.. 이게 네가 곡을 올리는 사이트지?”
그는 강아지같이 모든 것을 신기하게 보았다.
키보드와 컴퓨터 프로그램 앱을 연결하고, 멜로디를 정했다.
난 키보드를 두들기며 흥얼거렸다. 그렇지만 아무리
흥얼거려도 꽂히는 멜로디가, 없었다.
전부 다 옛날에 한번 씩은 썼던, 그런 흔하디 흔한 멜로디였다.
지금 나에게는 코드보다, 멜로디가 중요했다.
“으.... 어떻게 해야하는 거야.”
“창작의 고통은 어마무시하구나..”
그의 말은 머리가 지끈거리는 나를 웃게 만들어 주었다.
“어디? 내가 도와줄게.”
그는 나와 백허그를 하는 구조로 다가왔다.
잠시 설레는 나 뒤에, 그는 키보드를 만졌다.
그러더니 C 코드로 건반 하나하나를 뒤적뒤적 쳤다.
그러자, 내 머리 속에서 기발한 멜로디가 하나 생겨났다.
나는 키보드의 건반들을 하나하나 가볍게 치는 것뿐인데
어떻게 내 머리에서 멜로디가 생각이 나게 했는지,
물어보았다.
“뭐야? 방금 그거 어떻게 한거야? 네가 키보드를 치니까.
갑자기 내 머리에서 멜로디를 어떻게 해야할지
생각이 나기 시작했어!”
“응? 그거야.. 그냥 네 노래 분위기에 맞게 쳤어.”
“네 노래 분위기..?”
“네 노래의 멜로디는 보통 가수들에게 듣기 힘든.. 무엇인가
불완전한데 계속 머리에서 생각이 나는 느낌이거든.. 그 것을
따라해서 건반을 두드렸어.”
무리한 3개월이라는 휴식시간 때문인지, 나는 내 노래를

다 까먹고 있었다. 심지어 노래의 분위기, 느낌 마저도.
나는 당연히 내 곡이니까 내가 제일 잘 알고 있겠지,
라는 오만하고 이상한 생각을 하고 있었던 것이다.
"...너는 내 곡에 대해서 너무 잘 아네."
나는 약간 방심했었다. 나는 내가 잘 안다고.
바보같은 기분이 들었다.
"뭐 이게 대수인가! 멜로디에 반을 네가 짠거잖아! 이거 가지고 멜로디가 떠오른거야..? 엄청 대단해! 자 그럼, 한번 같이 멜로디를 짜보자!"
나는 그가 아까했던 말을 받침삼아 부드럽게 멜로디를 만들었다.
그 결과, 10분이 지나서야 완벽한 멜로디를 짰다.
그는 나를 신기하게 보았다.
"멜로디를 10분만에 다 짰어..? 원아야 너 너무 멋지다!!"
그는 마치 자기가 멜로디를 다 짠거 같이, 기쁘고도 뿌듯하게 말했다.
그리고 나를 안아주었다.
"뭐가 그렇게 신나?"
"그냥 원아 네가 10분 안에 다 짰고, 곡을 거의 다 완벽하게 완성했잖아! 너 너무 멋있어!"
그는 마치 존경스러운 아버지를 보듯 나를 대했다.

그는 내가 곡을 다 만들었어도, 집에 가지 않았다.
"너 집 가기 싫지."
"당연하지! 난 너랑 계속 있고 싶어! 집에 가면 엄마 잔소리에.. 너도 없고...너무 허전하고 재미없단 말이야!"
"하하, 알았어 조금만 더 있다가 가. 지금 시간이 곧 6시니까.. 저녁시간 이네? 집에 뭐 있을 텐데 뭐라도 먹을래?"
"좋아!"

난 냉장고를 확인하기 위해 부엌으로 가려고 했다.
그 순간, 박유환의 폰에서 전화 벨소리가 울렸다.
“박유환. 너 전화 와!”
“정말? 내가 받을게.”
그의 핸드폰을 우연히 보았고, 전화를 건 분은
박유환의 어머님이셨다.
박유환의 어머님이라면.. 저번에 카페에서 나에게 티를 준
그 분 이신가? 라고 생각이 들었다.
박유환을 전화를 받으러 방 밖으로 나갔고,
그 사이에 나는 침대에 누웠다.
편안하다. 푹신거리는 침대에서 파묵히고 싶다.
침대에서 살짝 누우니, 오늘 있었던 일이 머릿 속에서
나열되기 시작됐다.
맞아. 오늘은 정신없으면서도 행복한 날이였지.
아침에 그에게서 고백을 받았다. 그리고 하루종일 학교에서
그와 함께 생활을 했다. 그리고 지금은 내 집에서,
박유환과 같이 있다.
은근 별거 아닌 하루가 뭐이리 꿈만 같은지.
박유환과 함께 있으면 이런 이들이 매일 일어나는 것인가.
생각만으로도 행복하다.
그리고 내 뇌는 그것을 뛰어넘어 박유환과 일생의
끝까지도 함께하는 생각까지 해보았다.
어이없는 일이지만, 만약 그와 일생의 끝까지 같이 지낸다면..
나는 너무 기뻐 쓰러질지도 모른다.
“...가능할까.”
인터넷에서 많이 보던 말이 내 머리를 스치운다.
‘첫사랑은 결국에 끝이난다.’
나에게는 너무 가슴이 아픈 말이다.

만약 정말로 첫사랑이 끝난다면, 우리는 어떻게 끝날까.
한 명이 바람을 필 것은 절대 아닐 것 같고,
성격이 잘 맞는 것을 보니까 성격과 가치관 차이로 헤어질
일도 절대 없을 것 같다.
그렇다면.. 사별은 어떨까.
설마. 사고사나 살인은 없을 것이다. 우리 둘다 그렇게
덤벙거리는 성격은 아니기에.
자살 따위도 할 생각은 없어보인다.
지금은 서로가 있어서 너무나 행복하니까.
내가 너무 이상한 생각만 해서 인지. 조금 자고 싶어졌다.
"아, 자면 안돼는데. 박유환이 있는데."
정신을 차리려고 노력했지만, 점점 몽롱해진다.
눈이 감겨온다.

흘려내려오는 땀 때문에 눈이 떠졌다.
결국 피곤해서 잔 것인가. 지금은 몇 시이지.
방에 걸려있는 시계를 보니까, 8시 10분이다. 2시간이나 잤다. 생각해
보니 박유환은 어디에 있지?
나는 식은 땀과 후덜거리는 다리를 참고, 거실로 나갔다.
거실에도, 부엌에도, 화장실에도 박유환은 없어다.
뭐지 싶어서 다시 방에 들어가니까, 책상 위에 포스트잇과
종이 한 장이 보인다.
그는 포스트잇에 이렇게 적었다.

'원아야! 엄마가 지금 무슨 일이 생겼다고,
지금 급히 가야하는데, 네가 너무 잘 자고 있어서
못 깨우겠더라.. 여기 가사 종이 두고갈테니
이거로 이번 노래 열심히 만들어줘!

좋아해 원아야.'

그리고 정말 그 옆에 가사 종이가 있었다.
"쓸데없이 귀여워 박유환."
폰 메시지로 하면 되는 것을 굳이 편지까지 두고가는
박유환이 귀엽다.
"이럴꺼면 자지말걸.. 괜히 자서."
그가 집에서 나갔을 때, 그에게 볼 키스를 받고싶었던
나는 아쉬워했다.
땀이 교복에 차서, 찝찝하다. 지금 당장 씻고 싶은
마음에, 교복을 빨래통에 넣고, 욕실로 들어갔다.
목욕을 할 때도 나는 박유환을 생각했다.
'정말 잠들지 말걸. 좀 참으면 되는데 괜히 자서.',
'그런데 무슨 일이 일어났길래 그러는 걸까.'
어, 생각해보니 정말 그렇다. 무슨 일이 이러났길래
그가 급하게 갔는지. 궁금하다.
머리를 감기 위해 샴푸를 짜면서 생각했다.
'사소한 것일까. 그냥 카페에 손님이 많이 와서
박유환의 연주를 원한다던가. 설마 범죄나 살인이
일어난 것은 아닌거 같고, 누가 아프다던가 그런 것도
설마 아닐 것이다. 그렇다면 그의 삼촌 문제 때문인가.'
생각해보니, 삼촌이 일주일 안에 해외로 갈 것이라는 것을
어제 들었다.
그렇다면 삼촌이 무슨 일이 생겼거나, 갑자기 비행기 사고나..
그런 것 아닐까?
"아니야. 너무 부자연스러워."
나는 거품이 나는 샴푸가 곧 내 눈으로 들어올 지도 모르고
무슨 일인지 고민을 했다.

큰일은 아니면 좋겠다. 속으로 생각했다.

 박유환 생각에 거의 30분은 욕실 안에 있었다.
보통 목욕을 20분 안에 끝내는 나에게는 아주 큰 시간이다.
최근 피부가 뒤집어져, 스킨 케어를 하려고 화장대에 앉았다.
귀찮음을 뒤로하고 꼼꼼히 관리했다.
내 속마음은 박유환에게 잘 보이려고 관리를 하는 것이라고
들려왔지만, 나는 애써 그것을 무시하였다.
귀찮은 피부 관리가 다 끝나고, 이제 드라이기로 머리를 말리려 했었
다.
내 폰에서 메시지가 왔다는 신호가 오고, 나는 핸드폰을
집었다. 행복하게도 박유환에게 온 메시지다.
난 그 알림을 보고 환하게 미소 지었다.

20XX.06.21

-원아야 책상 위 편지 봤어?
 먼저 가서 미안해..

-아니야! 그건 그렇고 무슨
 일이 있어서 먼저 간거야?

-엄마가 빨리 와서 카페 짐 정리
 도와달라고 하셨거든.. 그래서 갔는데
 네가 너무 잘 자고 있어서 못 깨웠어..

-뭐 그런거 가지고 미안해
 하는거야.. 괜찮아. 별 일
 없어서 다행이다!

-별 일? 왜 무슨 일인데?

-나 MBTI N이여서 상상 많이 하거든.. 그래서 난 네가 무슨 일 생긴 줄 알고 걱정했잖아!

-뭐야!ㅋㅋㅋ난 아무 일도 없었으니까 걱정 하지마! 좀 의외네? 네가 그런 상상을 하다니...

-아무튼... 다행이다!

-오늘 조금 아쉬웠어....
너랑 저녁 밥도 같이 먹고싶었는데

-나도 좀 아쉬웠어.
다음에 만나서 밥 먹자!

-너무 좋다.

-오늘 너 갈 때 또 볼키스나 이마 키스 해달라고 말하려 했는데.. 괜히 잤어.

-월요일에 내가 해주면 돼지!
오늘꺼 합쳐서 2번 해줄게!

-3번 해줘...

우리는 달달하게 메시지를 주고 받았다.
머리 말리는 것은 이미 까먹은 뒤였고, 난 오직 박유환에게만 집중했다.
그와 함께 메시지를 주고받는 것은 새벽까지도 계속되었다.
내일이 토요일이라는 안정감 때문에 우리는 멈추지 않고 계속했다. 아까 2시간을 잤는데, 또 자진 않겠지. 생각을 하고
그와 계속 하던 중, 신기하게도 또 졸음이 몰려왔다.
"자면 안돼는데.. 박유환이랑 대화하고 싶은데..."
그런데도 나는 계속 정신이 혼미해졌다.

그렇게 나도 모르게 내가 잠들고, 다음 날 아침 11시에 내가 깨어났다.
내 폰은 밤새 켜두고 있어서 때문인지. 배터리가 2% 남아있었고, 나는 충전기를 찾았지만 충전기가 보이지 않았다.
"어제 박유환한테 잘 보이려고 방 청소할 때. 충전기까지 서랍에 쑤셔넣었나?"
나는 계속 찾아도 안 나오는 충전기 때문에 점점 머리가 폭발하기 직전이였다.
결국 핸드폰 배터리가 1% 남는 지경까지 몰려왔다.
계속 짜증이 몰려오고, 나는 박유환이 내가 잔 이후에 무엇을 보냈는지 확인이라도 하기 위해서, 핸드폰을 켰다.
박유환도 내가 중간에 잔 줄 모르고 계속 메시지를 보냈다.
그 많은 메시지 중에서 난 이것이 눈에 띄었다.

-원아야. 좋아하고.. 또 보고싶어.
악몽따위 꾸지말고 잘자.

그 행복한 메시지를 보자마자, 내 핸드폰은 틱- 하고 꺼졌다.

.뇌조각과 피

20XX.10.17
나는 그에게 말했다.
'먼 훗날, 우리가 결혼을 한다면 어떨 거 같아?'
그는 엄숙하게 대답했다.
'나는, 별로 좋지 않을 거 같아.'
그 짧은 대화가, 아직도 내 가슴을 쑤시고 있다.
그의 상처 난 입술 위에 눈물이 떨어지니.
이 어찌 무의미한 진술 이겠나.
나는 결심을 준비했다.
나는 예전부터 궁금한 것이 하나 있었다.
바로 뇌조각와 피. 이다.

박유환을 만난지 어언 한 달 넘게 지났다.
허나 나에게는 고민이 있었다.
그와 사귄지 일주일부터 그의 말투와 행동은.. 꽤나 달라져있었다.
더 이상 나를 사랑하지 않음을 느꼈고,
그것은 나뿐만 아니라 지구 모든 생물체에게도 속했다.
그의 얼굴은 잠을 못 잔건지 다크서클이 심햐져, 나날이 더

퇴폐해져 갔고, 그의 말투는 철덩이처럼 딱딱해졌다.
혹시 기말고사에 대한 스트레스일까, 기말고사를 끝내는 날인 7월 5일까지 그에게 아무 말도 하지 않았다.
난 그와 대화를 하고싶어 안달이 났다.
그리고 7월 6일, 참고 참았던 메시지를, 나는 보냈다.

20XX.07.06

-유환아. 기말고사 어땠어?

-그야 뭐, 망했지...

보통이면 웃음을 유발하는 그의 말에, 나는 웃었겠지만
현재 그의 말은 전혀 농담같지가 않았다.

-아이고.. 그래도 괜찮아! 네가
열심히 했잖아? 그러면 된거야!

-전혀 열심히 하지 않았어.
난 너무 이상한 짓만 했어.

-아! 우리 만날래?

-뭐..? 갑자기?

-응! 기말도 끝났고,
우리 못 본지 한참이잖아!

-아.. 오늘은 나 곤란할 거 같아..

-음.. 그러면 주말은?

-그냥 나 요즘 바빠서,, 만나는 건 불가능할 거 같은데.. 미안해서 어쩌지..

-아 그렇다면, 괜찮아! 나중에 시간 될 때 만나면 돼지!

-응. 아 혹시 곡 준비는 어때?

-너 공부하는 동안 노래는 거의 다 만들었어!

-다행이다.. 빨리 만들어 주었음 좋겠어.

-이제부터 밤 샐거야! 열심히 할게.

-파이팅 해!

1-응! 좋아해 유환아.

그와 나누는 대화가, 전혀 달달하지도 않다.
오히려 나는 이 대화에서 이질감을 느꼈다.
어찌 이리도 날 싫어하는 티를 팍팍 낼까..
나는 침대에 누워서 그 이유를 생각했다
'어쩌면 내가 질려버린 것 아닐까..? 아니면 내가 무슨 잘못을 저질렀나? 일단 나만 싫어한다면 다른 사람에게도 저렇게 딱딱하게 굴지는 않으니까 그 생각을 패스.

그렇다면 최근에 무슨 일이 생긴건가? 우울증이나 조울증..
그런 것 말이다.’
아무리 생각해도, 어떤 의견도 결론에 도달하지 못했다.
지금은 일단 박유환이 갑자기 사춘기가 와버려서 어쩔 수
없는 우울이라고, 나는 생각했다.

다음날, 나는 학교에 갔다.
어제 기말이 끝났는데 바로 학교라니.. 라고 투정을 부리곤
버스에 타려고 버스정류장에 간다.
최근에는 왜인지 날씨가 우중충하다. 그렇다고 비가 오는
것도 아니니. 우중충한 날씨를 보고 비가 온다고 착각해서
우산을 챙기고 나가는 나에게는 짜증나는 날씨이다.
그런 아침투정을 하다보면, 저절로 버스정류장에
도착한다. 나는 헤드셋을 끼고, 좋아하는 노래를 튼다.
이 노래와 함께 있으면 오늘 하루도 운이 좋아지는.
그런 하루를 많이 경험했다.
버스정류장에 앉아서 핸드폰을 하던 중, 갑자기 무엇인가
쎄한 기운이 나를 감쌌다.
그 기운이 궁금해져서 주위를 돌아보니까, 저 횡단보도
건너편에. 박유환이 있었다.
박유환도 나랑 같이 버스를 타는 것인가. 무척 신났을
상태에, 그에게 빨리 손을 뻗으며 인사를 했다.
어라, 그런데 그는 내 뻗은 손을 보고도 그냥 무시를 하는 것
아닌가. 박유환은 그러고 자신의 앞에 오는 검은 차를
탔다.
나는 약간 어리둥절했었다.
왜 버스를 안 타는 거지? 만약 저 차가 어머님의 차이면,
버스를 안 타는 것도 이해가 가는데, 버스를 안 타면

내 인사를 씹어도 괜찮다는 것인가?
아니면, 내 인사를 못 본 것 아닌가? 아니, 그럴 일은 없을 것이다.
그는 분명 나랑 눈이 마주쳤고, 못 본 것은
절대 아니다. 그러면 왜 무시를 한 것일까?
심지어 나는 그의 여자친구인데, 내가 질려버린 것인가?
나는 생각을 멈추었다.
나한테 질려버렸다. 약간 그런 기운도 없지 않았다.
그 생각을 하자마자 난 심장이 쿵- 가라앉아버렸다.
손을 너무 떨려 더 이상 핸드폰을 잡을 수 없을 정도이다.
그러면 그는 나에게 왜 질려 버린걸까?
내가 최근에 못생겨졌나? 아니면 내 행동이 마음이 걸렸나?
연애 5일차 정도 까지는, 박유환이 나를 더 좋아하는 느낌이
강하긴 했다. 그러면 정말 그런 것 때문에 정이 떨어진 것인가? 시발.
그러면 지금 당장 과거로 돌아가서 미래를 바꾸고 싶다. 과거의 나는
왜 박유환에게 많은 애정을 주지 않았던
걸까. 그저 박유환이 나에게 주는 관심 표현보다 더, 주면
될 것을.
어지럽게 생각을 한 뒤, 버스가 도착했다.
나는 버스에 탔지만 앉을 자리가 하나도 없고, 사람은
너무 많아서 타면 끼일 정도였다.
나는 그런 버스에 타서, 학교로 갔다.

'이번 역은 단애고등학교- 단애고등학교 역입니다-'
나는 저 소리가 들리자마자 도망치듯 버스에서 나왔다.
저런 버스에서는 1분도 더 있고싶지 않다.
나는 재빨리 내 반으로 가서, 친구들을 찾았다.
물어볼 것이 있었기 때문이다.
반에 있던 애 한 명, 그 애는 마침 박유환과

친분이 있던 사이여서 쉽게 말 할 수 있었다.
“지우야! 정지우!”
“응? 원아야 왜 그렇게 뛰어왔어?”
“아니.. 물어볼 것이 있어서.. 그, 박유환 있잖아..”
“어.. 아 박유환! 네 남친?”
“뭐..? 그걸 어떻게 안거야?”
“그거 소문 다 났던데? 뭐 비밀연애인데 사실은
모든 사람이 다 알고있는 비밀연애 라고.. 말하던데?
그런데 애들이 너 부담스러울까봐 말 안 건거래!”
“아 그거 소문이 났었어..? 그래도 애들이 모른 척 해줘서
고맙네..”
“그래서 물어볼 것이 뭐야?”
“아! 박유환 있잖아.. 걔 말투나 행동과 얼굴. 뭔가 달라지지
않았어?”
“오! 얼굴은 다크서클이 조금 더 심해져서 더 졸린 사람
같아졌고, 행동은 불안한 무엇인가가 생긴거 같았고,
말투는.. 여전했어! 걔 바뀐거 같았는데 나만 느낀게 아니구나!”
“잠시만.. 행동이 불안해졌고, 말투가 여전하다고? 말도 안돼... 딱딱해
지지 않았어? 자 여기, 유환이랑 연락한 거
봐줘..”
나는 지우에게 내 핸드폰을 넘겼다.
“음.. 딱히? 조금 더 착해졌네!
아, 너 박유환 잘 모르는구나? 박유환 그 새끼.. 우리한테는
이것보다 더 심하게 말하는데, 여친인 너한테만 좋게
말하는거야.. 사이코새끼..”
“그러면.. 걔 말투는 평소랑 똑같은거야?”
“우리한테는 똑같이 말하는데, 네가 보여준 거는
좀 착하게 말하는 거 같아.”

나는 그래도 그의 말투가 달라진 것을 확실히 느껴,
그녀에게 그와 연애 초반에 연락한 메시지들을
보여주었다.
“뭐야.. 정말 얘한테서 볼 수 없는 친절한 말투인데?
난 살면서 얘가 착하게 말해본 꼴을 못봤어..
그런데 이렇게나 친절하게 말할 줄 아는 인간일 줄이야..
사랑하면 닮는다더니. 네 말투랑 약간 비슷하네?”
“저 최근 말투도 유환이치곤 착해진 말투라고 쳐도.
나한테 말한 옛날 말투와 지금 말투는 너무나 달라.”
“그렇긴 하네.. 얘가 본성이 나온거 아니야?
지금까지 너한테 착한 척 하는 거였는데, 현재는
너무 질려서 좀 풀어버린거지!”
그녀의 말은 그럴 듯 했지만, 정말로 그렇다면
난 상처를 받을 수 밖에 없을 것이다.
“그건 그렇고.. 이 새끼 행동은 넘 달라진게 보여.”
“행동? 아, 그러고 보니 오늘 아침에 횡당보도 건너 편에서
유환이를 만나서 인사를 했는데, 개가 무시했어..
혹시 내가 질렸거나 싫어졌거나.. 그런 거 아닐까..?”
“뭐? 우리한테 했던 행동 여친한테 똑같이 하네...
걘는 그게 일상이야. 그런데 내가 말한 행동은..
그것과는 조금 달라. 얘가 좀 불안해진게 눈에 보이거든.”
“불안?”
“응. 작년부터 얘를 봤는데, 박유환은 짜증이 날 때면
무조건 연필같은 것을 부숴야 성이 풀리거든.
그런데 최근 복도에서 봤는데, 무슨 전화를 하고 있는거야.
내용이.. 누구에게 엄청 크게 화를 내고 있었어.
그런데 전화를 끊자마자 뭘 부수는게 아닌, 가만히
물을 마시더라? 참 희한한 일이야..”

"그건... 철이 든거 아니야?"
"철이 든것도 맞는 거 같은데, 그 때 전화를 끊고
걔 손,다리가 덜덜 떨렸고, 얼굴은 금방 울어도 부자연스럽지
않은 얼굴이였어."
그녀의 말을 듣자, 박유환이 걱정되었다.
"일단 내 말은 끝. 혹시 네가 걱정이 되면
내가 말해줄 수도 있는데, 어때?"
"아니야.. 안 말해주어도 괜찮아."
"응.. 걔 원래 인성이 별로여서 그런거니까 너무 걱정하지
말고. 걔가 싫어지면 헤어져도 좋아! 솔직히 네가 더 아까워."
"하하! 내 걱정 들어주어서 고마워! 일단 곧 조회시간이니까
자리에 앉자!"
그리고 곧 선생님이 들어오고 조회를 시작했다.
난 친구에게 괜찮은 척을 애써 했지만, 전혀 괜찮지가 않았다. 만약
정말로 유환이에게 무슨 일이 생기면..?
그렇다면 나도 박유환을 따라 불안해 질 것 같다.

오늘은 하루종일 수업 때 잤다.
수업 때 그냥 영화만을 틀어준 것도 있지만, 나는 걱정근심이
너무 많아서 좀, 자고 싶었다.
쉬는시간과 점심시간에는 감히 박유환을 찾아 갈 자신이 없었다. 나는
점심시간에 나머지 노래 멜로디와 가사를 수정했다.
'그러면.. 이제 집 가서 녹음부터 해야지. 그러면 꽤 빨리 이 노래를
낼 것 같은데..'
그러자 이런 생각이 났다.
내가 마지막인 이 곡을 내고 팬들과 작별 인사를 한다..
그때, 박유환은 기뻐해주지 않을까?
'네가 잘 해낼 줄 알았어! 너무 멋있어!' 라고 칭찬해주지 않을까?

그러면 즉, 우리 사이가 다시 풀리지 않을까?
나는 그 생각이 너무 기쁘고도 행복했다.
상상만으로도 웃음이 나왔다.
그래, 열심히 노래를 만들고, 복잡한 절차를 이용하면서.
정식 앨범을 내는것이다!
그것으로 나에게 죽기 전에 꼭 이루어야 할 소원이 생겼다.

오늘 학교에서는 박유환을 전혀 만나지 못했다.
쉬는시간에도, 점심시간에도.
물론 외롭지는 않았다. 반 친구들이 나에게 말을 걸어주었으니까. 재미있었다.
나는 선생님의 종례를 듣는둥 마는 둥 하고 집에 가려고
빠른 내 다리를 준비했다.
"원아야! 학교 끝나고 시간 있어? 밥 먹으러 갈래?"
그러자 우리 반에서 한 남자아이가 나에게 말을 걸었다.
"아.. 이종현이구나. 미안해! 나 오늘 뭘 해야해서.."
그러자 그 애를 나에게 귓속말로 이렇게 말했다.
"나, 너에게 박유환에 대한 걸 얘기해야만 하는 것이
있어. 부탁할게."
난 그 말을 듣자마자, 이건 꼭 들어야 하겠다고 생각을 했다.
"...그래. 가자."
난 그 애와 밥을 먹으로 갔지만, 사실상 박유환에 대해서
말을 하러 갔다.

우리는 어느 카페로 왔다.
이 카페는... 박유환네 카페였다.
"여기 카페.. 어떻게 알고..?"
"나 박유환이랑 엄청 친해. 작년에 같은 반이였거든.

여기 카페도 나한테 처음 알려주었을걸?"
"...그렇게나 친하면.. 유환이는 지금 무슨 상황인지
알아?"
"당연하지. 오늘 아침에 지우랑 그거에 대해서
말 했지? 그거 듣고.. 너한테는 꼭 얘기 해주어야 된다고
생각했어."
그는 그 카페 문을 열고, 편한 소파석에 앉았다.
그 안에서, 박유환도 없었고, 심지어 박유환의 어머님도 없었다. 그런데 그는 자연스럽게 주방에서 컵 두 개를 가져가,
알바생처럼 아이스티를 탔다.
"그거 막 타도 괜찮은거야..?"
"괜찮아. 내가 여기를 몇 번 왔는데. 여기 카운터 하시는 분이 박유환 어머님이시거든? 어머님이랑 나랑 엄청 친해서
이제 내가 여길 오면 그냥 알아서 타먹으라 하셔."
그는 그렇게 말하고 다시 자리에 앉았다.
그리고 아이스티를 한 입 마시고, 나에게 심각하게
말했다.
"박유환 그 새끼. 지금 심각해."

난 그 말의 의미를 잘 모르겠다고, 그에게 말했다.
"당연히 모르는 게 맞을거야. 일단 날아 박유환 관계를
들자면, 작년에 친해졌어. 나랑 박유환은 음악적 견해가
잘 맞았거든.. 실제로 나는 피아노 전공자야. 예고는
안 다니지만."
"생각해보니 박유환도 기타 전공생이지만 예고는
안 다니네.. 그게 너희 공통점인거야?"
"응. 우리는 그렇게 해서 친해졌고, 현재도 박유환이
너랑 사귀기 시작해서 연락이 뜸해졌지만 사이는 엄청

친했어. 예전 3개월동안 걔가 너 찾아다닌 거 있지?
그거 내가 말렸어. 그 새끼 진짜 계속 찾아왔다고..”
“고생이 많네..”
“사건은 이제부터야. 그 새끼가 너랑 사귀고 난 뒤, 나에게
엄청나게 자랑을 했단 말이야? 보통 연애를 시작하면
그래도 한 달까지는 사람이 엄청나게 행복하잖아. 그런데
그 새끼는 한.. 일주일 뒤? 그 쯤부터 얘가 존나
암울해지는거야.”
“일주일 뒤, 암울해졌다고? 내가 느낀거랑 똑같아.”
“하.. 내가 너무 걱정이 돼서, 이러면 안돼는데..박유환. 오늘 1교시만
하고 조퇴를 했대. 걔네 반 사물함에 박유환 일기장이 있거든? 그 틈
에 그걸 몰래 봤어.그런데. 가관이야..”
이종현은 박유환의 일기장을 나에게 건내주었다.
나는 떨리는 마음으로 그의 일기장을 한 장, 한 장, 살펴보다
이 날부터 이상하단 것을 느꼈다.

20XX.03.12
오늘 아빠가 자살했다. 집 천장에 목을 매서.
학교 끝나고 집으로 오니,
집은 아빠와 뇌조각과 피로 가득찼다.
시발. 왜 자살을 했는지 몰랐다. 아빠는 평소, 돈이 없다는
것 말고는 집에서 거의 아무 말도 안 하셨다.
난 아직도 왜 자살을 했는지 모르겠다.

20XX.03.19
아빠의 장례식이 끝이 났다.
장례식 동안, 어떤 낯선 아저씨들이 장례식에 쳐들어와서
아빠 장례식을 엉망으로 만들었다.
나는 너무나 두려웠기 때문에, 비겁하게도 몰래 숨어있었다.

삼촌과 그 아저씨들이 대화를 한다.
난 대화내용을 하나도 못 들었지만, 누가봐도 그들이
'사채업자' 라고 생각했다.
너무 무서워서, 눈물조차도 안 나왔다.

20XX.03.20
죽을 것만 같았다.
나는 힘들 때 듣던, 사이트에서 활동하는
싱어송라이터 원아의 노래를 들으려고 핸드폰을 켰다.
그런데, SNS에서 그녀에 대한 논란이 터졌다.
표절 논란..? 지랄이라고 생각했다.
그런데 사람들은 병신같이 그것을 믿는 것 아닌가.
난 더 이상 원아의 노래를 들을 수 없을 것이라고 생각했다.
난 이제부터 어떻게 살지.

20XX.03.21
엄마와 삼촌이 나에게 말했다.
기타를 그만두라고.
나는 그 말을 무시 할 수가 없었다.
난 이미 포기한 뒤이다.

20XX.03.22
생각이 났다.
싱어송라이터 원아.. 우리 학교 어떤 아이와 비슷한 면이
있다. 이름, 목소리, 심지어 노래하는 창법까지.
작년에 우연히 그녀를 본 적있다. 이름은 영원아.
마침 이종현의 같은 반 학생이기도 하고, 그래서 그 반을
찾아갔다. 이종현에게 원아가 있냐고 물어보았지만,
그녀는 없었다.
난 마지막으로 영원아에게 부탁하고 싶다.

나와 같이 앨범을 만들자고.

20XX.05.30
난 영원아를 찾으러 하루도 빠짐없이 그 반을
찾아갔다. 오늘도 여전히 없었다. 이제 2개월 째이다.
이제는 이종현이 아침에 미리 알려주는 정도이다.
난 그녀를 찾고싶다, 찾아서 말하고 싶다.
제발 나와 앨범을 만들자고.

20XX.06.07
삼촌이 오늘 엄마와 나에게 말했다.
자신이 해외로 가서 돈을 벌어오겠다고.
우리가 사채업자에게 갚을 돈이 너무 많다고.
나는 오열했다. 삼촌에게 너무 미안했다.
그리고 아빠는 우리 몰래 얼마나 많은 돈을 빌렸는지,
그것도 생각나서 짜증난다.

20XX.06.19
드디어 오늘 영원아를 만났다.
영원아는 내 예상대로 그 싱어송라이터 원아가 맞았다.
그녀와 이야기를 했는데, 내가 모르는 사실들이 많았다.
몸이 많이 아프다는 것, 이제 싱어송라이터를 그만두는 것,
등등.. 그녀가 싱어송라이터를 끝내면,
나는 어떻게 살지 싶다.

20XX.06.21
어제는 원아와 앨범표지 촬영을 했고, 우리 집에서
자고 갔다. 그리고 난 원아와 잤다.
오늘 아침, 원아가 눈물을 흘리며 하소연을 했고,
난 그 틈을 타 내 마음을 고백했다.

오늘 원아와 사귀게 되었고, 행복한 일이 정말 많이 일어났다.
원아의 집에 가서 그 애가 곡을 만드는 것을 보았다.
역시 본업은 다른가 보다.
그리고 조금 뒤, 엄마에게 전화가 왔다.
집에 지금 당장 오라는 것이다.
난 집으로 당장 뛰어갔고, 엄마가 하는 말은..
해외로 도망가자는.. 것이였다.
난 그 말을 듣고, 세상이 무너지는 것 같이 울었다. 왜 내가 행복할 때 이런 상황이 찾아오는 걸까.
죽고싶다.

20XX.06.27
난 원아와 헤어져야한다.
기말을 끝내고 바로 해외로 도망쳐야한다.
이제부터 그녀가 나에게 날 좋아하는 마음이 사라지도록 해야겠다. 그리고 다른 사람들에게도 마찬가지이다.

20XX.07.06
원아에게 메시지가 왔다.
나는 애써 관심없는 척 행동했다.
그럴 때마다 내 마음은 찢어진다.
힘들다 어떻게 해야하는거지.
라며 생각을 하다가. 결정했다.
죽을지 말지.

20XX.07.07
결심했다.

나는 그의 일기에 마지막, 그러니 오늘의 일기를 보자마자 온 몸에 소름이 돋았다.
"뭐..? 박유환의 아버지가 뺑소니가 아닌.. 자살이였다고..?

그리고.. 심지어 사채업자에게 쫓기는 중이였던 거야?
박유환에게 들었던 이야기는.. 이것과는 천차만별(千差萬別) 인데?"
"나도 자세히는 모르는데.. 아마도 너에게 걱정끼치기 싫어서
그런 것 같아.. 나도 뺑소니로 돌아가신 줄 알았어."
처음 들어보는 그에 대한 것에 황당해 했을 무렵,
"저 마지막 일기는 내가 못 본 것인데.. 정말 큰일이야.
내가 어제 저 일기를 보자마자 박유환한테 연락했어."
이종현은 나에게 자신의 핸드폰을 주었다.

20XX. 06. 21

-야

-읽어

-니 사물함에 일기 뭔데

-이상한 생각 하고 있으면
죽인다.

-제발읽어

-야

-시발.. 넌 영원아가 있어도
그러냐.. 니 여친이잖아
원아 생각해서라도 그만둬.

-읽어 박유환

-나.. 사실 이렇게 될 줄 알았어.
그래서 나는몹쓸 생각만 하고 있어
지금은.. 원아가 너무 보고싶어

1-야

1-시발. 니 어디야

"내가 왜 너한테 말했는지 알겠어? 이 병신은. 네 말만 듣는다고."
나는 충격을 크게 받은 것 같다. 내 입에서 말이 도저히 안 나왔다. 난 내 얼굴이 점점 파래지는 것을 실감했다.
나는 이종현의 핸드폰을 책상에 던지듯이 놓고,
카페 밖으로 나와서 전화를 했다. 마음만으로는 박유환에게 지금 당장 소리를 지르고 싶었지만, 내가 흥분하면 도리어 그도 차분하지 못 할것이라고, 내 머리는 말했다.
나는 심호흡을 하고, 그가 내 전화를 받는 것을 기다렸다.
아 시발.. 말 대신 욕이 저절로 나왔다.
그의 부재중 음성메시지가 들려온다.

-

'이제 널 못 봐.'

삐-

소름이 돋아서 전화를 바로 끊고, 핸드폰을 뿌리쳤다.
이제 널 못 봐..? 무슨 뜻인거지.
음성메시지는 잡음이 너무 가득했다. 바람이 강하게 부는
그런 시끄러운 소리. 그리고 울먹이는 소리로
그런 말을 했다.
나는 너무나 두려웠다.
잡음, 바람소리, 생각을 하니까, 설마 높은 곳에서 떨어지라는 것 아닐까?“

곧장 카페로 다시 들어가서, 이종현에게 하소연했다.
“야 시발. 유환이한테 전화를 했는데.. 음성메시지가..”
“나도 그거 들었어.”
“어떡해.. 나 진짜로 무서워. 잡음과 바람소리가 가득했어..
설마 투신자살 그런거 아니야?”
나는 떨면서 울음을 삼키며 말을 걸었다.
“아니야. 절대 그런 것은 아니야. 박유환 그 새끼
고소공포증 있어.”
“그렇다면야 다행인데.. ”
생각해보니, 저번에서 그의 삼촌 집에서 한 밤 잤을 때,
그가 아침에 칼을 쓰는 모습을 보았다.
“시발.. 잔인한 생각인데.. 유환이 걔, 칼 쓰는데..
그거로 자살하는거 아니야?”
“뭐라고?? 아 그러면 더 찾기 힘든데..”
우리는 불안에 잡아먹혀 버렸다. 그리고 서로 말을 했다.
“영원아 너.. 박유환 집 어디인지 알아..?”
“아니.. 몰라... 잠시만, 집?”
“나는 그의 집이 아닌, 다른 집이 생각났다.”
“걔 집은 아닌데.. 걔 삼촌 집은 알아..!”

나는 급한 마음으로 급하게 핸드폰만 들고 뛰어갔다.
이종현을 무시한 채, 정말 숨이 막히도록 달렸다.
급하게 버스정류장에 도착했지만, 한강 주위로 가는 버스는 14분 뒤 도착, 심지어 지갑도 두고왔다.
난 교통수단을 탈 수 없어. 나에게는 뛰자는 생각 밖에 없었다. 나는 계속해서 뛰었다. 계속해서 뛰었다.
그가 무사했으면 좋겠다는 것이 나의 유일한 바람이였다.

"하......하..."
너무나 힘들어서 입에서 피 맛이 날 정도였다.
드디어 박유환의 삼촌 집에 도착을 했다.
나는 빨리, 집 현관문을 쾅-쾅- 두드렸다.
허나 아무도 없는 것 같았다.
나는 거의 울면서
주저앉았다. 주저앉으면서도 문을 계속 두드리는 것은
계속되었다.
손에 멍이 들 정도로.

울면서 주저앉고 말았다.
난 박유환에게 총 아홉 번의 전화를 했지만, 그의 부재중
음성메시지에 더욱 더 소름이 돋는 것 말고는
나에게 득이 되는 것은 없었다.
그리고 이종현에게서 전화가 왔다.
"야, 원아야. 나... 하..... 박유환 찾았어..."
난 그 말을 듣고, 세상이 다시 펼쳐지는 줄 알았다.
"뭐? 어쩌다 만난거야."
"박유환 집은 모르는데, 집이 어디 쪽인지는 알았거든.
거기로 가니까 박유환이 터벅터벅 걸어가고 있었어."

"하...다행이다.... 너무.."
나는 박유환이 걱정이 되었다.
"나, 박유환 좀 바꾸어줘."
"알았어. 지금 바꿔줄게."
휴대폰이 손에서 손으로 가는 소리가 들리운다.
"유환아. 너.. 괜찮아..? 이종현이 준 일기장 봤어.
힘들어? 내가 옆에 있어줄게.. 그러니 제발.."
"원아야.. 나는..."
그는 약간 울고있는 목소리로 말을 시작했다.
"나는... 너무 겁이 많은 사람이야.. 이 사건에 대해
도망치고 있고.. 겁이 많아서 높은 곳에서 떨어지지도 못했어.
나 어떡할까..."
박유환은 지금 너무. 지쳐보인다.
"유환아. 진정하고... 너 지금 너무 힘들어보여..
일단 내가 거기로 갈까?"
"아니.. 원아도 그렇고 이종현도 그렇고.. 나 오늘 너무
힘든데.. 나 먼저 집에 가도 될까?
그리고 나 아무런 메시지와 전화도.. 받고싶지가 않아.."
그렇게 말한 박유환은. 너무 쓰라려보였다.
"알았어 유환아. 그러면 먼저 집 가고.. 내일 마저 얘기하자.
어때?"
난 최대한 상냥하게 그에게 말했다. 박유환은 이제야
진정이 된 듯 하다.
"응.."
"그래 오늘은 일단 씻고 일찍 자고.. 내일 보자 유환아."
"..."
그는 전화를 탁- 끊고 말았다.
나는 그의 삼촌에 마당에서. 누웠다.

그리고 우중충한 하늘을 보고.. 손을 뻗었다.
저 하늘에 손이 닿을까. 난 어리석게 팔을 쭉 늘렸다.
"그렇지.. 닿을 리가 없지.."
그러나 저 하늘은 아무리 우중충해도, 구름이 칙칙하게 가려도, 손에 안 닿아도. 너무나 아름답다.
아직 세상에 희망은 있나보다.

어제 너무 많은 일이 있었는지, 나는 집에 오자마자
일찍 잠에 들었다. 그리고 아침 5시 반, 그때 일어났다.
씻고 자지 못한 탓인지 얼굴에는 트러블이 잔뜩 나있었다.
아침부터 이런 불행이라니, 너무나 운이 없었다.
일단 할 일이 없었기 때문에, 목욕을 했다.
난 목욕하면서 또 생각에 빠지고 말았다.
'어제의 박유환은 정말로 투신자살을 하려고 한건가..?
그렇다면 도움을 주지 못한 내가 너무 원망스럽다.'
생각을 하다가, 오늘은 그의 반에 가서 그를 꼬옥
안아주어야지. 라는 계획을 세웠다.
오늘도 여전히 하루가 빛날 것이다. 내 예상은 틀린
적이 없다.

목욕을 하면서 물멍을 때려서 30분이 걸려도
아직 6시 10분 밖에 안 되었다.
나는 스킨케어를 하기 위해서, 머리를 말리기 위해서
화장대로 향했다.
오늘의 나는 박유환과 같이 다크서클이 진하다.

갑자기 반 친구가 말한 '사랑하면 닮는다'가 생각난다.

그러자 난 어째서 혼자 설렘을 마시고 입꼬리가 광대까지
올라가는 것에, 궁금했다.
우리 집에 나 빼고 아무도 없음을, 나는 느꼈고, 나는
잠시 오싹해진 분위기를 해결하기 위해, 내 서랍에 쳐박아둔
스피커를 꺼냈다. 그리고 핸드폰에 연결해, 나의 플레이리스트를
틀었다. 고르기 귀찮았기 때문에 임의로 노래를 틀었다.
그러자 첫 번째로 나온 곡은, 되게 우울한 곡이였다.
아마도 사춘기의 기운에 쏟아져 슬플 때 듣던 곡 같다.
난 뭔가 찝찝한 느낌에 핸드폰에 있던 음악을 급히 바꾸었다.
역시, 곧 오해가 풀리고 즐거워질 날에는 신나는 음악이지.
핸드폰을 계속 터치하며, 일본의 2000년도 시티팝을 틀었다.
그리고 흥얼거리며 스킨케어를 마무리했다.

머리도 다 말리고, 교복도 완벽하게 다 차려입었다.
심지어 화장도 약간 하고, 머리도 가꾸었다.
그러나 지금 시각은 아직.. 7시 15분 밖에 되지 않았다.
지금이라도 나갈까 생각했지만, 지금 나가면 백퍼센트 박유환을
중간에 못 만날 것이 뻔하다.
박유환은 보통 8시 조금 안될 시간에 집에서 나간다고 하니,
적어도 40분이나 남았다.
아니. 긍정적이게 생각하면 40분 밖에 안 남은 것이다.
난 점점 더 박유환을 닮아가졌고, 그를 생각하면 할수록
기분이 좋아졌다. 내 일생중에 학교 가는 것이 두근거리는 날은
오늘이 처음일 것이다.
"그래서.. 나 뭐하지..?"
핸드폰을 보기에는 아침부터 너무 머리가 아프고,
그렇다고 더 꾸민다고 하면, 더 이상 꾸밀 것이 없다.
"이렇게 된거.."

나는 할 것이 없어도 너무 없는 탓에, 박유환에게 편지나 쓸까.
라는 생각을 했다.
오랜만에 기쁜 박유환의 얼굴을 볼 생각에 나는 너무 흥분해버렸다.

서랍에서 낡은 메모지를 꺼내고, 오랜만에 볼펜을 꺼내들었다.
그리고 평소라면 오글거려서 못 말했을 말들을 적었다.
하나하나. 정성을 다 하여.

유환아. 나 원아야.

난 그 다음에 할 말을 생각했다. 그에게 힘이 될만할 것들을
차곡차곡 작은 메모지에 담았다.

올해 널 만난 것은 나의 크나 큰 복이야.
피폐한 나에게서 절대 있을 수 없는 것 말이야.
그러니 난.. 네가 힘들어하는 모습 따위는 보고싶지 않아.
나도 너에게 큰 기적이 되어 줄 테니까.
넌 그저 내 옆에서 행복하기만 하면 돼.
나는 널 믿어.
정말로 좋아해. 유환아.

난 그리고 마무리로 내 이름을 적었다.

.영원아가

드디어 기다리고 기다리던 7시 55분이 되었다.
나는 재빨리 새하얀 신발을 신고, 밖으로 나갔다.
투둑투둑-

그러나 갑자기 비가 떨어지는 것 아닌가.
"어..? 비 온다는 소식은 없었는데..?"
나는 당황하며 가방에 든 우산을 꺼내 펼쳤다.
그리고, 달렸다. 이미 그가 떠나 있을지도 모르기 때문에.
한 3분정도 달렸을까. 거의 새 신발이. 망신창이가 되었다.
허나 나한테 그것이 중요한게 아니었다. 나에게 중요한 것은 박유환 뿐이였다.
나는 버스정류장에 박유환이 있나 확인하기 위해 정류장을 이지저리 살펴보았다.
그러나, 어디에도 그는 없었다.
왜 없는 거지. 내가 너무 빠르거나 늦게 왔나.
하지만 나는 그의 패턴을 완벽하게 다 파악했기 때문에 지금쯤이면 그가 버스정류장에 도착했을 것을 다 파악하고 있다.
그는 어디에 있나?
나는 혹시 모르는 마음에 건너편에 박유환이 차를 타러 기다리고 있나. 살펴보았다.
여전히 박유환은 없었다. 나는 초조했다.
박유환이 오늘 학교에 안 오면 내 편지를 못 읽고, 그러면 박유환은 자살에 한 걸음 더 가까워 질지도 모른다.
우산 위에 비가 툭툭. 때려온다.

나는 이종현에게 연락을 취했다.
지금 학교냐고. 만약 학교면 옆 반에 박유환이 있냐고. 물어보았다.
그러자 이종현은 엄청나게 빠르게 답장이 왔다

-내가 들었는데.
걔네 반 에어컨 고장나서 오늘 조회는
위 층의 남는 반에서 수업한다고 하는데?

-그럼 거기에 유환이 있는거
아니야?

-그럴 수도 있겠다. 일단 내가 가볼게.

그래도 내 불안함은 가시지 않고 나를 괴롭혔다.
정말 학교를 안 오면 이번엔 칼로 자살을 하는 것 아니냐.
라고 다시 한 번 더. 타자를 쳤다.

-너무 섣부른 판단이야! 박유환 그 새끼
잠이 좀 많아서 오늘 늦잠 잔 걸수도 있고..
나중에 올 수도 있잖아? 일단 너는 안전히 등교해.

나는 그 말에도 안정을 잡지 못 했다.
그 때, 버스가 오고. 나는 이 버스를 안 타면 지각이기
때문에 버스로 올라탔다.

버스 안쪽은 난장판 그 자체이다.
비가 오기 때문에 우산에서 빗물은 떨어지고, 사람들
꽉 끼는 출근 길에 넘어질 뻔 한 적도 한두번이 아니다.
우회전을 해야하는 통로에, 버스 기자는 빠르게 돌았다.
사람들이 전부 옆으로 넘어지고.
그 때문에 나는 옆 사람의 뾰족한 우산 끝 쪽에, 내 무릎이
다쳤다.
저번에 박유환과 있었을 때 다쳤던 상처와는 다른 편이었다.
난 그것을 보고서 미련하게도 박유환이 생각났다.
'어머 죄송해요! 이걸 어떡해..'
나에게 지금 작은 무릎 상처 따위는 중요하지 않다.

나는 그 분에게 대충 괜찮다고 말하고,
우회전을 한다.. 이것은 곧 내 학교로 도착할 것이라는
힌트이다.
나는 버스에서 카드를 꺼내고, 찍었다.
그리고 안내방송이 나온다. 이번 역은 단애고등학교 역.
나는 그 안내방쏭이 들리자마자 걱정과 설렘의 혼합체의 감정을
심었다. 그러나 지금 나에게. 설렘의 비율이 더 높았다.

버스가 단애고 정류장에 멈추자마자, 나는 우산을 대충
펴고 어깨에 비를 맞으면서 뛰어갔다.
무릎에 난 피가 내 신발까지 덮었지만, 난 계속 뛰었다.
등교하던 학생들이 나를 이상하게 보았다. 알빠인가 라고
생각한다.
나는 긍정적인 회로를 돌렸다. 분명 박유환이 있을거야.
분명.
그리고 드디어 나는 학교로 도착했다.
단애고등학교. 오늘만큼은 이 곳을 기다렸다.

나는 비를 피하면서 학생들의 벌점을 주는 선도부와 선생님을
무시한 채 학교 건물로 들어가고. 힘들게 계단을 올라탔다.
너무나 힘들다. 나는 이 계단을 박유환과 같이 매일 올라갔다.
나는 잠시 숨이 차오르는 것을 막기 위해 2층 계단에 잠시
멈추었다.
내 몸은 멈추었지만, 머리는 계속 생각을 했다.
일단 박유환을 만나면 바로 안아줄 것이다.
그리고 이 편지를 주면서 난 달콤한 위로를 해줄 것이다.
네가 해외로 가고, 우주로 가고, 그것도 모자라서 죽기라도 해도.
난 너를 응원하고. 좋아하고. 널 따라갈거라고.

그 어디에 있든. 난 너를 너무나 좋아해서.
그렇게 할 수 없다면, 오히려 내가 안될 거 같다고.
라고. 말할 것이다.

좋다. 좋은 계획이다.
이것이면 박유환은 자살 생각을 그만두고
나와 원래 사이로 돌아갈 수 있을 것이다.
행복감에 파묻혔다.
그 이하는 나도 모른다.

"이종현!!"
교실 문을 열자마자 이종현에게 달려갔다.
"박유환! 유환이는?"
그래도 말만은 비밀연애인데 반 친구들 앞에서 대놓고 박유환을 말한 나 때문에, 그는 놀란 듯 하다.
아니면 아까 까지만 해도 근심 가득한 말투로 연락을 했는데,
막상 실물로 보니 행복한 것 때문일수도. 있겠다.
"어.. 일단은 저 위 층에 박유환은 없었고.. 내가 옆 반 담임선생님 한테도 말을 해봤는데, 딱히 부모님께 연락 온게 없어서 이따 올 수도 있을 것 같대."
"음.. 그래..? 하지만 나중에 오겠지..? 못해도 4교시 전 그쯤이라도.. 점심 먹기 바로 전이잖아! 그렇지?"
나는 이종현에게 희망을 강요했다.
".. 당연하지! 그래도 박유환이 너 있는데. 안 오겠어?"
이종현의 말도 들으니, 그도 역시 희망이 필요했나보다.

"난 박유환이 정말로 좋아."
이성이라면 항상 박유환이랑 같이 있던 나는, 지금은

이종현과 같이 복도에서 얘기를 하고 있다.
"박유환.. 솔직히 인성은 별로여도 친해지면 은근 호감이야."
"그렇지. 나는 걔 처음 만났을 때 말투 싸가지가
없다고 생각했지만, 얘기를 계속 해보니까 너무 좋은 아이였어.
아, 너희들은 작년에 어떻게 친해진거야?"
"작년에 같은 반이였는데, 박유환이 자기소개를 엄청 대충했어.
그런데 기타 전공이라고 하더라고?
난 그 때 마침 약간 배우고 싶었는데 쨰한테 배우면 되겠다 했어.
그래서 자기소개 끝나고 걔한테 물어봤어.
기타 나한테 알려줄 수 있겠냐고.
그런데 그 새끼가 갑자기 날 훑어보더니 아예 무시를 하더라?"
난 그 말에 박유환이 상상이 가서, 웃었다.
"그래서 친해지지 말아야지.. 했는데,
내가 다른 애들이랑 얘기를 하고 있을 때, 내가 피아노 전공자
이니까 그것에 대해 대화를 하고 있었어. 그런데 옆에서 거의
엎드려서 잠자던 박유환이 벌떡 일어나서는..
'너 피아노 전공... 진짜 맞아..?'
라고 물어보는거야!"
"자기소개 때 그거 말 안 했어?"
"난 말했는데, 뒤늦게 안 사실은 걔가 자고있었다더라."
"어쩐지.."
"그래서 난 그 때부터 친해졌어. 걔는 음악쪽 말고는 별
관심이 없어..
아, 그러고보니 작년에 네 얘기도 했었다."
"어.. 작년에 내 이야기라면.. 목소리랑 창법으로
걔가 걘가..? 라고 생각했던 얘기?"
"오, 맞아! 나한테 와서 얼마나 호들갑을 떨던지..
네 노래가 너무 좋아서 플레이리스트가 다 네 노래야. 걔는."

나는 약간 좋으면서도 부끄러운 감정을 했다.
"작년에 박유환이 너한테 가서 말 하려 했는데, 그거 내가 간신히 막았어."
"어? 왜..?"
"그야 당연하지. 목소리도 창법도 그저 비슷한 거일 수도 있는데 걔는 그거가지고 과몰입을 하잖아.
그래서 내가 때리면서 말리는 게 작년 일상이였어."
"하하. 귀여워."
"귀엽기는 개소리. 아, 그러고보니 말할 거 하나 더 있다."
나는 박유환에 대해 말할 것이 더 있다는 이종현의 말에, 귀를 쫑긋 세웠다.
"그 새끼 너랑 사귀기 1일차부터 나한테 얼마나 지랄했는지 알아? 맨날 연락 할 때마다 영원아 얘기만 하고..
내가 엄청나게 힘들었다고."
"뭐야.. 박유환 귀여워."
"지랄이라고.."
난 어느새 박유환과 친한 이종현과도 친밀도가 엄청나게 쌓였다.

이제 조회시간이 되었다.
나는 조회를 하는 선생님의 말에 집중을 기울이지 않았다.
항상 똑같은 말. 오늘도 별 사건 없다고 하신다.
오늘 선생님의 조회는 생각보다 일찍 끝난 듯 하다. 난 역시 박유환에게 가려고 했다.
"원아야. 내가 위 층에서 박유환 찾을테니까. 잠시 기다려 줄래?"
이종현이 졸린 눈을 비비며 말했다.
"뭐? 나도 같이 가자."
"내가 따로 박유환에게 말할 것이 있어서.. 빨리 끝내고 올게."
나는 약간 아쉬워하는 눈치였지만, 그래도 나중에는 박유환을 보니까 그러려니 했다.
“그럼 기다이고 있어. 갔다올게.”
이종현은 그러고 위 층으로 올라갔다.
나는 오늘 안 먹은 심장약을 먹으로 내 자리로 가는 도중,
이종현 책상 위 박유환의 일기를 발견했다.
그래, 솔직히 원래 주인에게 다시 돌려주어야지.
나는 그 일기장을 박유환 책상 위로 돌려주기 위해 불이 꺼진
옆 반으로 찾아갔다.

박유환은 언제 한번 자신의 자리를 알려주었다.
분명 에어컨 바로 밑이여서 바람이 은근 안 온다고 했지.
나는 곧장 그의 반에 문을 열었다.
그 때의 나는, 그 문을 열면 안됐었다.
난 문을 열자마자 소리도 못 지른 채 쓰러지고 말았다.

박유환은, 에어컨에 걸린 밧줄에 매달려, 스스로 생명을 끊었다.

.자신

20XX.10.18
이제 널 볼 수 있어.

벌써 10월 달이다.
누군가 나에게 3개월동안 무엇을 했냐고 물으면,
나는 그냥 병원에서 눕기만 했다고. 대답 할 것이다.
말 그대로, 나는 아무것도 하지 못했다.
덜렁거리는 결은 어디 안 갔는지, 병원 계단에서 계속 넘어졌다.
그 덕에 무릎과 팔은 멍으로 싸여져있었고,
그리고 내 뜻과는 다르게 칼은 거의 항상 내 손에 있었다.
그 칼로 덕분에 내 손목의 피하지방을 마주할 수 있었고,
기분은 웬만큼 좋았다. 역시 사람들이 계속 하는 것은 이유가 있구나.
그러나 그 만큼 병원에서의 이미지는 그야말로 추락을 하였다.
얼마나 나를 꼴보기 싫었던 것인지, 몇몇 환자들과 간호사들은 나에 대해 뒷말을 하기도 했다.
난 그것이 너무나 싫었다. 얼마나 싫었냐면, 이 칼로 내 손목을 스치듯이, 그들의 몸도 하나하나 정성스럽게 쑤셔주고 싶었다.
장난 따위는 하나도 안 치고.

나는 그를 매일매일 목말라하고 있었고,
그도 나와 똑같은 마음이였는지,
하루도 빠짐없이 내 꿈에 나타나고,
그의 마지막 모습인 그의 목을 보여주었다.

난 매일매일, 정신이 피로했다.
병원 침대에서 일어나기만 하면 온 몸이 다 쑤시고,
딱히 무엇을 할 기분도 아니었다.
그냥 이렇게 자다가. 죽었으면 좋겠다는 생각뿐이었다.
그 끔찍한 일이 발생했을 때부터.

걔는 머리를 잘 쓴다.
그 아이는 에어컨에 일부로 밧줄을 엉키게 하고,
아무도 없을 때 몰래 그의 아버지와 같이 자살을 했다.
난 그 때부터 아무런 기억이 없었지만, 쓰러졌다고들 한다.
그리고 그 후, 심장이 더 악화되었다.
이제는 그냥 뛰기 조차도 나에게는 버겁다.
지금은 그래도 앉아서 시를 쓰거나 티비 정도 볼 수 있었는데,
쓰러진 바로 이후에 일주일동안 누워서 잠만 잤고,
결국 난 그 아이의 장례식도 못 가게 되었다.
이런 내가 어찌 걔의 애인이라고 볼 수 있겠나.

똑똑-

누가 문을 두드렸다.
"영원아. 괜찮아?"
어떤 갈색머리의 남자아이이다.

난 어디서 본 기억은 있었지만, 이름이 생각나지 않았다.
"그.. 이주현..? 이조현..? 이였나..."
"이종현.. 내 이름도 까먹어 버린거야?"
"아.. 이제 기억났어. 미안. 내가 사람은 잘 까먹어가지고."
"....그러면 박유환도 까먹었겠네..?"
박유환. 그 이름을 듣자마자 온 몸에 털이 다 솟았다.
절대로 다시는 듣고 싶지 않았던 그 이름.
"내가 어떻게 그 아이를 까먹을 수 있을까. 내 머리 속에서는 아직 살아있어."
"그래? 차라리 너 입장이였으면 그냥 기억이 안 나는게 좋겠다고. 난 생각해.."
"말처럼 쉽지가 않네.. 정작 반 친구들 이름은 특이한 아이 빼고 다 못 기억해서 안달인데.. 박유환은 까먹으려 노력을 해도 계속 꿈에 나오는 느낌이야."
난 침대에 누우면서 창문 밖을 쳐다보았다.
하늘이 까맣다.

"사실은 나. 사과하러 온거야."
"사과..? 무슨 일인데?"
그는 나에게 사온 음료수를 주면서 말을 시작했다.
"그 일이 일어났을 당시, 차라리 내가 너와 같이 위 층에 갔거나 나 먼저 그 아이가 자살한 것을 목격을 했으면, 네 충격이 그래도 덜 했을거라고.. 난 생각해."
"전혀... 그렇지가 않아. 나중에 봤어도 똑같이 쓰러졌을 것이고, 그렇다면 딱히 달라지는게 없어. 나는 원래 이렇게 될 운명이였던거니까 사과할 필요 없어."
"그럴 운명이라니. 말도 안돼. 만약 운명이 있다고 해도 넌 행복해질 운명일 것이야."

"말 해줘서 고마워. 이종현."
나는 하늘을 보는 도중, 갑자기 그 때의 상황을 다 얘기 하고 싶어졌다.
"사실.. 아직도 기억이 생생해.
반에 들어가니까 보이는 그가 밧줄로 자살한 모습,
그의 새파란 얼굴, 곧 끊길 것만 같던 몸통.
심지어는 그 아래에 있던 넘어진 의자까지.
전부 다 어제 일 같고.. 눈을 감아도 다시 보여."
"그딴거 다 잊어버려! 너한테는 너무 충격이였겠다.
내가 우리 반 층에 도착하자마자 쓰러진 네가 먼저 보였어.
그래서 급하게 달려갔더니.. 나도 그 모습을 보고 말았지."
이종현은 떨리는 목소리로 정확하게 자신이 있었던 일을 꺼냈다.
"난 너무 두려웠던 나머지 그만.. 소리를 질렀는데,
우리 학년 거의 모든 애들이... 다 구경하러 왔더라.
나는 너무 심각한데, 구경하러 와서 속닥속닥 거리고, 심지어는 날 범인으로 말하는 새끼들이 있어서.. 너무 힘들었어."
"사실은 네가 가장 힘들었을 거 같아.
사건 당시 유일하게 깨어있는 애가 너 밖에 없었고,
그 뿐에 다른년들이 널 범인으로 몰아가고, 죄책감도 많이 가질 것 같고. 만만치 않게 힘들었겠다."
"지금 학교에서 내 이미지가.. 박유환 자살 때
그냥 보고만 있었던 방관자야.. 소문이 어떻게 돌았길래."
"미친새끼들. 아가리 하라고 해."
"하하. 박유환 말대로 넌 항상 이럴 때 재밌어."
이종현은 웃는다. 난 웃으라고 한 얘기가 아닌데..
"시간이.. 나 이제 레슨받으러 가야겠다.
뭐 아무쪼록 죄책감 그딴거 가지지 말고.. 넌 잘 못 없으니까.

나 가볼게.”
그는 그러고 나에게 빵 한 개를 주며, 병실을 나갔다.
빵은.. 자세히 보니까 저번 학교 급식에 나온 빵이므로
오늘 급식에 이 빵이 나왔나보다.
나는 그 소금빵을 잡으며, 공놀이 하듯이 던져댔다.
그리고 속으로 나에게 물었다.
‘만약 내가 학교를 일찍 가서 저 구겨진 메모지를 그 아이에게
주었으면, 걔는 자살을 면하지 않았을까?
왜 하필이면 난 일찍 일어남에도 불구하고 학교를 늦게 간 것일까.’
나에게 그 날은 후회덩어리이다.

눈부신 해에 의해 잠으로부터 깨어났다.
아직도 이 환자복은 익숙치 않았다.
약간 개운한 것 같아서 시계를 보니까, 7시 45분이란다.
개운한 내 몸치고는 너무 일찍 이였다.
나는 기지개를 시원하게 피고, 오늘의 날짜가 궁금해져서 핸드폰을
보았다. 10월 14일. 벌써 두 달 뒤면 이 해가 끝나간다.
그것에 나는, 행복했던 적이 옛날 한 달 밖에 없는데.. 애 이렇게 시간
은 나를 못살게 굴까. 라고 잠시 고뇌했다.
나는 너무 배가고프다. 어제 이종현이 준 빵을 먹었다.
지금 내 상태, 병원에서 다른 음식을 먹는 것은, 약간 눈치보이는 행
동이였지만. 어차피 내일이면 지긋지긋한 이 병원도 안녕이다.
결국은 퇴원이란 소리이다.
“아이고! 일찍 일어났네~ 웬일로 이 시간에 일어났어?”
소리가 들려오니, 해외로 출장 간 내 엄마였다.
“엄마! 갑자기 여기는 왜 왔어?”
“그야 출장이 끝나서 왔지. 그거보다. 몸은 어때?”
“이제 조금 괜찮아졌어.”

"그래? 그러면 다행이다.."
그리고 엄마는 저 말을 하자마자 갑자기 나에게 진지하게
다른 주제로 입을 열었다.
"원아야. 엄마가 다시 한 번 말하는 건데. 절대로 박유환인가
걔처럼 쎄하고 사정 안 좋은 애랑 사귀거나 친구 먹지마."
또, 저 소리다. 내가 입원하고 전화로 1시간 동안 말한 그 소리.
"엄마는 네가 걱정이 되어서 그런거야. 그런 애들이랑 사귀어서
뭐해? 소문으로는 걔 인성도 나쁘고.. 집안꼴은.. 어휴..
너 정말로 그러면 안돼."
"... 그런 말 할꺼면 나가."
"원아야! 엄마는 널 위한 말을 해주는거야."
"지금 이 상황까지 와서 박.. 그 애를 욕하는 이유가 뭐야?
그러면 내가 뭐가 돼?"
"그래서 너 다시 이런 일 안 생기려고 충고해주는 거잖아."
"지금 이 상황에서 그 말이 나와? 난 그 충고같은 소리를
전화로 1시간 듣고, 또 메시지로 계속 말하고. 걔를 좋아하는
나한테는 그 말을 하는 것이 가시로 날 콕콕 찌르는 거랑
다름이 없다고."
기분이 상해버려서 이불 안으로 꽁 들어갔다.
"영원아. 자꾸 그럴거야? 너 걔한테 미련 못 버렸어.
이제 죽은 사람은 죽게 놔두고, 너는 네 인생 살아야해.
난 참 이해가 안된다. 그저 청소년간에 사랑이 그렇게 중요하니?
걔가 너한테 얼마나 중요하다고.. 너 지금 상태가 심각해.
너 스스로도 알지? 넌 그 상황 때문에 이제 박유환이라는
이름도 부르기 꺼려하잖아."
....
나는 침묵을 이어갔다.
엄마도 이제 더 이상 나와 이야기 할 기분이 아닌지

나에게 이 말을 전하고 병실에서 떠났다.
"너는 아직 동화속에서 못 벗어났구나."

엄마 말도 이해가 안 가는 것은 아니다.
물론 부모마음으로는 자식이 애인이라는 딴 사람 자살을 막으려고 고군분투를 하거나, 애인이 자살한 모습을 목격해 자식이 쓰러져 병세가 악화되어 가는 것들은.
솔직히 나라도 이해가 가지 않았을 것이다.
그런데 나는 왜 이렇게 살고있나?
이불 안에서 곰곰이 생각을 해보았다.
아무리 생각해도 해답을 찾을 수가 없었다.
그 아이를 정말로 좋아해서, 그런 행동을 하고 이런 결말을 지은 것.
나는 이렇게 중얼거렸다.
"난 정말로 아직도 동심가득한 동화 속에서 살고 있구나."

그 이후로 눈물이 약간 났다. 이부자리는 눈물로 찼고, 나도 모르게 잠들었으며, 9시 반에 다시 일어났다.
옆으로 자서 어깨가 저린다. 나는 저린 어깨를 살짝 때려주면서 이제 할 것을 생각했다.
시를 쓰거나 티비를 보는 것은 할 만큼 했다. 이젠 너무 지루하다.
그렇다고 내 속으로 즉흥곡을 만들기에는, 한 때 싱어송라이터로서 무엇인가 자존심이 상한다.
잠시, 싱어송라이터?
그래. 난 잊고 있었다. 내가 싱어송라이터였고, 그 아이와 함께 곡 만들기를 준비하고 있었단 것을.
그러자 눈이 희번뜩 뜨였고, 난 내 핸드폰을 잡아, 메시지창으로 들어갔다.

들어가자마자 광고 메시지와 엄마, 아빠, 선생님, 이종현 등등을
지나치고, 나는 그 아이와 함께 나누었던 마지막 메시지를 보았다.

ㅡ응. 아 혹시 앨범 준비는 어때?

ㅡ너 공부하는 동안 노래는
거의 다 만들었어!

바로 이 대화. 혹시 그 아이는 죽..어서도. 내 마지막 앨범을
기다리고 있는 것 아닐까?
나는 한껏 퇴폐해진 마음을 한 구석을 빛으로 매꾸려고 안달이 났다.
그래서 그런 생각까지 이른 것 같다.
"설마. 그럴 리가 있겠나."
나는 매꾸는 것을 실패하고 말았고, 핸드폰을 침대 옆 부분에
귀찮게 던졌다.
천장을 보면서 이 천장이 하늘이였으면 좋겠다.
이 침대가 잔디 바닥이였으면 좋겠다.
라는 터무니없는 망상을 했다.

'지랄이다 시발.'
항상 내가 일어나자마자 하는 생각이다.
난 요즘따라 아침을 더 부정적이게 보았다.
얼마나 심각하냐면, 엄마가 추천해준 일기를 쓸 때도,
내가 하는 말은 역시나 3개월 전 사건에 대한 자기 혐오 뿐이였다.
그런데 뭐 어쩌나. 내 눈은 모든 것을 그런 사고로 집어먹혔다.
아무리 좋은 일. 예를 들어 급식이나 병원 밥으로 맛있는 과일이 나오
거나, 티비에 내가 좋아하는 프로그램을 시간에 맞추어서 틀었을 때,
나는 분명 3개월 전까지 보통 '과일 너무 맛있겠다!, 시간에 딱
맞추어서 틀었네? 쾌감 좋다!'

라는 기분이 들었지만, 지금의 나는
'이거 품 안좋은 냉동과일이거나 썩은 것 아니야..?, 아, 바로 틀었으니까 앞에 나오는 재미없는 오프닝까지 다 봐야하네.'
이런 비관적인 생각만을 했다.
오늘도 마찬가지였다. 아직 가을이 한참인데 내 몸은
춥다고 말하거나, 오늘따라 창문 밖에 이쁜 단풍이 안 보인다.
"하...."
나는 한숨을 땅이 꺼질 듯 깊이 쉬며,
갑자기 내 인생에 대해 생각하기 시작했다.
나는 왜이리 운이 안 좋은 걸까, 왜 굳이 나만 이런 시련을
겪는 것인가. 내가 죽으면 이 것이 끝날텐가. 등등.
이상하게 눈물샘이 터질 것만 같았다.
나에게는 이 것이 일상이였다.
매일 울고, 생각하고, 밥 먹고, 울고, 자고.
얼마나 심했으면 간호사분이 날 보며 괜찮냐고 물어볼 정도였다.
그리고 어떤 한 분은 나에게 정신과를 추천하면서 그 정신과 의사분 명함을 내밀었다.
난 갑자기 화가 치밀어올라, 그 명함을 그 사람 앞에서 갈기갈기
찢어버렸다. 그런 모습을 내가 또 보면,
이 병원을 퇴원하고 정말 정신병원이라도 들어가야한다고
내 내면속은 말했었기 때문에, 그 때문에 또 눈물이 난다.
걔가 사라지고 난 뒤로, 난 엄청나게 망해갔다.
염세적인 나 자신은, 이 세상을 좋게 보는 관점을
잃어버린 것 같았다.

눈 깜빡한 사이 내일이 밝았다.
아니, 밝았다고 하기 보다는 발생했다.
오늘은 그래도 즐거운 병원 퇴원날이다.

이태까지 이 좆같은 병원 안에서 자유롭게 생활도 못하고
보고싶은 사람들도 못 보았다.
사실, 보고싶은 사람은 없었긴 했다.
그래도 그리운 사람이라면 많다.
오늘 그 사람들을 보러 갈 것이다.

나는 오랜만에 집 앞 버스정류장에 도착을 하였다.
이 얼마나 오랜만인지, 약간 신기했다.
내가 뭔 버스를 탔지.. 기억이 안 날 정도였다.
3314...? 3322..? 333..?
그러자 내 앞에서 어떤 버스가 멈추었다.
333... 아마도 이 것을 타면 내가 찾는 목적지에 도착을 할 것이다.
내 머리가 그렇게 말하고 있었다,
나는 고민도 하지않고 그 버스에 올라탔다.
오랜만에 지갑에서 버스 카드를 꺼내, 그 카드로 계산을 하고,
편한 좌석을 골라 택했다.
약간 잠들 정도로 맹한 나였기에, 잠에 들지 않으려고 헤드셋을
착용했다. 그리고 어떤 가수의 노래도 아닌, 내 곡을 들었다.
되게 오랜만이다. 라고 말하고 싶었다.
역시 내 노래는 나에게 잘 맞아야해. 정말 흔하지 않게,
나는 웃음을 살짝 지었다. 3개월 동안 거의 처음이였다.
창문으로 오늘의 날씨를 체크했다.
오늘은 조금 흐리다. 그래도 이것도 이것대로 좋다.
음악을 즐기는 중에, 어떤 노래가 틀어졌다.
이 곡은.. 그 아이가 나에게 좋다고 질리도록 기타로 연주했던
곡이다.
난 이상하게 이 곡만큼은 절대 듣고싶지 않았다.
이 곡만 들으면 그 아이와 있었던 일 모든 것들이 다 하나하나

기억이난다.
바로 내 플레이리스트에 삭제했다. 아니, 그냥 저 플레이리스트 목록자체를 지웠다.
그리고 기분이 확 나빠진 나는, 헤드셋을 가방에 잽싸게 넣고선 빨리 도착이나 했으면 좋겠다고 생각했다.

하늘도 무심하실까. 내가 탄 버스는 내가 가는 단애고등학교를 피해서 그냥 가버렸다.
나는 급한 마음에 옆 사람에게
"저 여기 단애고등학교로 가는 버스 맞나요?"
라고 소심하게 물어보았다.
그러더니 그 사람은 약간 차갑게
"거기 쪽으로 가시려면 3314를 타셔야해요."
좆됐다. 나는 입으로 살짝 말했다.
"아아.. 알겠어요."
나는 급한 불을 끄는 심정으로 일단 여기서 내렸다.
지금 여기에서 내 목적지인 단애고등학교까지
걸어가겠다는, 그야말로 내 머리에서 나올 수 있는 최적의 계획이였다.
하지만 여기에서 단애고까지는 너무 멀었다.
"시발.. 일단 빨리 가기나 하자."
계속해서 내 마음은 앞으로 갔지만은, 내 몸은 그것을 저항했다.

툭-

내 머리에 무엇이 떨어졌다.

툭- 툭-

바로, 빗방울이였다.
저 비들은 갑자기 발진을 해버려 너무 많이 떨어지고 있었고,
나는 그 비 때문에 단 몇 초만으로 머리가 다 젖고 말았다.
난 일단 피할 장소를 찾으려고 편의점에 들어갔다.
그리고 그 곳에서 숨을 돌리고, 궁금해서 알바생에게 물어보았다.
"저기 혹시.. 비 언제 그치는지 아세요?"
"여기 날씨 정보를 보면.. 아마도 1시간 뒷면 그칠 것 같네요."
"아.. 그러면 저 그.."
나는 급하게 옆에 있던 우산을 집고서, 계산을 요구했다.
"이거 계산해주세요."

삑- 7000원입니다.

나는 비싸도 어쩔 수 없지. 하는 마음에 지갑을 꺼내려고 주머니를 열었다. 지갑에서 내 카드를 찾으려했지만..
"어..?"
내 지갑도 나를 놀리려는 것인지. 지갑에는 교통카드 말고 돈이라는 것은.. 아무것도 없었다.
나는 지갑을 뒤적뒤적 찾아보았다.
혹시 모른다는 생각에 주머니도 다 찾아보고, 가방까지 찾아보았다.
그러나 나에게서는 돈이 하나도 없었다.
"저.. 죄송한데 이거 안 살게요."
나는 우산을 다시 원래의 자리로 가져다놓고, 알바생에게
한 요구를 했다.
"저.. 어디를 꼭 가야하는데.. 지금 비도 너무 많이 오고 그래서..
여기에서 비 그칠 동안만 있어도 괜찮을까요..?"
말 없이 그냥 있는 것은 민폐라고 생각해서, 물어보았다.

결과는 허락을 받았다. 나는 편의점 안에 있는 의자에 앉아서, 테이블에 몸을 기울였다.

비 내리는 밖을 보며 멍을 때리고 있었다.
비가 와도 많은 사람들이 다니는 구나..
우산을 같이 쓰고 가는 연인들. 그리고 씩씩하게 노란 우산을 쓰고 걸어가는 어린 여자아이, 심지어는 갑자기 쏟아진 비에, 그냥 비를 맞으며 뛰어가는 사람들까지 보였다.
난 그 중에서도 비를 맞으면서까지 뛰어가는 사람들이 눈에 띄었다.
눈에 띄었다기 보다는.. 약간 관심이 갔다.
나는 지금 무얼 하고 있는거지..?
그래. 비라면 결국 날 죽일 수 없게 만드는 것 이잖아.
그렇다면 두려워말고 그냥 해쳐나가는 것이 용감하고 강한 사람 아닐까?
그 생각은 내가 내면적으로 갈등하게 만들었다.
난 저 편의점에 문에 섰다.
한참을 서고 있으면서, 생각했다.
지금 이 출입문을 열고 뛰어나간다면, 난 용감한 사람이 될 것이고, 못 나가면 여전히 '나' 일 것이다.
그렇지만 만약 나간다면, 더 이상 되돌아갈 수 없을 것이다, 옷과 내 몸이 젖겠지. 난 그런 것을 할 수 있을까?
그러는 나는, 갑자기 또 그 아이가 떠올라졌다.
만약 그 아이가 내 옆에 있었으면, 난 그 아이와 함께 이 곳을 나갔겠지.
허나 지금은. 나 혼자이다.
나 혼자밖에 없다.
그러면 어떡하지...

난 너무 많이 서있어서 다리가 아프다는 핑계로, 다시 의자로 되돌아갔다.
그리고 손 꽉 쥐며 울음을 최대한 참았다.
뭔가 옆에서 누군가가 나에게 무엇을 말하는 것 같았다.
'넌 정말. 박유환 없으면 아무 것도 못하는 거구나.'

약 50분이 지났을까. 비가 잠잠해지고 밝은 해가 나를 반겼다.
나는 이제야 문을 열며 밖으로 나갔고, 알바생분에게 감사인사를 전했다.
걷는다. 힘들어도 걸었다.
그러고보니.. 약 먹는 것을 까먹어서 그런 거 같다.
아직 물도 없고 그러니까 이따 학교에서 먹도록 해야겠다.
그러면서 어떻게든 더 걸으려 했지만,
내 몸은 내 마음을 따라와 주지 않았다.
역시 침대에서 거의 계속 누워만 있던 나는 운동부족이 된 건가.
조금만 걸어도 힘들어 죽을 것만 같았다.
그렇게 긴 여정이 끝이 나고,
나는 출발한 지 2시간 30분이 지나서야 도착을 했다.

학교.. 정말 오랜만이다.
더 이상 가고싶지 않지만, 그리운 사람들도 많다.
물론 내가 지금 이 곳을 가는 이유는 상담때문이긴 하다.
난 계단으로 올라가는 것이 두려워, 엘리베이터를 탔다.
엘리베이터는 참 편하네. 이 것을 학교 선생님들만 탔었다니...
난 거의 10초 만에 내 반으로 도착을 하였고,
급히 반 앞에 아리수에서 텀블러에 물을 따랐다.
학생들이 이렇게 자유롭게 지내는 것을 보니까, 아만 지금이 쉬는 시간인 것 같다.

"어? 원아다!"
날 부르는 소리가 들려왔다.
바로 반 친구 중 한 명이였다. 나는 그 애의 이름을 부르며 반가워 하고 싶었지만, 아쉽게도 그 애의 옷엔 명찰이 달려있지 않았다.
"야 뭐야? 몸은 좀 어때..?"
"아.. 괜찮아졌어 이제! 딴 애들은 어디에 있어?"
"다음이 체육이여서 다 운동장에 있어!
그러면 이제부터 학교 나오는거야? 홈스쿨링 안 하고?"
"어.. 그거는 좀 곤란할 거 같은데.."
"헐.. 그래도 괜찮아..! 이렇게 홈스쿨링 하다가 종종 학교로 놀러오면 된거지!"
그 애는 너무 즐겁게 말하고 있었다.
"그건 그렇고 학교에는 왜 왔어?"
"나 선생님이랑 할 말이 있어가지고."
"아 그렇구나! 맞다 너, 그거 알아..?"
"뭔데?"
"이종현 개 있잖아... 우리 학교에서 별명이 '박유환 죽인 개'야!"
"그게.. 무슨 말이야?"
이종현 에게서 약간은 들었긴 했지만, 들은 것보다 더 심각한 별명이다.
"아니.. 솔직히 그 사건 일어나기 전에, 네가 이종현이랑 좀 많이 친해졌잖아. 근데 그게 너를 좋아해서 그런건데. 베프 여친을 뺏으려 했던 사실을 박유환이 알고서, 개랑 싸우고 자살을 했다. 그런 얘기가 퍼지고 있어."
난 약간 말도 말도 안된다는 표정을 지었다.
"그래서 원아야.. 이종현이랑 친하게 지내지 말라고."
"무슨.. 결론이 거기까지 가..?"

"아니 솔직히 그 소문이 맞는 거 같은게.. 너 아직 이종현이랑 친하지? 넌 네 전남친 죽여버리게 만든 애랑 친하게 지내냐..
아무튼 너 위해서 해준 말이니까.. 뭐 너무 기분 나빠하지마."
"그런 말을 하고서.. 나한테 기분 나빠하지 말라고?
너 정말 어이없다. 아니다. 그냥 너랑 말 안할게. 빨리 운동장에 가보지 그래?"
"어? 원아야..! 야! 영원아!!"
난 그 애가 부르는 것을 무시하고 선생님을 찾으러 교무실로 갔다.

선생님을 찾고서, 상담을 하기 시작했다.
"그래 원아야.. 오랜만이네. 잘 지냈지? 몸은 좀 어떠니?"
"몸은 괜찮아요 선생님."
오랜만에 만난 담임선생님은, 보통이 아니게 친절하시고 부드러우셨다.
"그럼 다행이다. 선생님이 생각을 한 번 해봤는데.."
선생님은 수준 높은 말로 나에게 말을 거셨지만,
나는 그다지 수준이 높지 않았기에 귀에 들려오는 말들이 흐리뭉텅하게 들려왔다.
시간이 대충.. 10분 정도 지났을까.
대충대충 흘려 듣던 내 귀에 딱. 꽂힌 한 마디.
"그러면 원아야.. 정신병원은 어떠니?"
그리고 난 내 귀를 잠시 의심하고, 의심스러운 표정을 지으며 선생님께 말했다.
"네..? 정신.. 병원이요..?"
"응. 선생님이 볼 때는 네가 너무 힘들어하는 거 같아서.."
"아니 선생님.. 아무리 그래도 정신병원은 좀 아니죠..!
제가 그렇게나 이상해보여요..? 그저 그 아이를 좋아했었고 지금도 좋아하는 거 뿐인데? 그런거 가지고 정신병원이요?"
"원아야 익단 진정하고.. 정신병원 이야기는 어머님께서
먼저 시작하셨단다."
"네..? 엄마랑도요..?"
"응. 어머님이 네가 꼭 정신병원에 갔으면 좋겠다고 하셨어."
난 그 말을 듣자마자 자리를 차고 교무실을 나왔다.
피가 거꾸로 솟는 기분으로, 핸드폰을 켰다.
바로 엄마에게 전화를 했다.
띠리리-띠리리-
그리고 엄마는 평화롭게 '여보세요?'를 했다.
그것으로 내 화는 더 커져나갔다.
"엄마! 엄마가 내 담임선생님한테 정신병원 얘기 했어?!"
그러자 엄마는 태평하게 말했다.
"어머. 벌써 학교에서 상담중이구나. 맞아 엄마가 얘기 했어."
"어떻게 나에 대해서 그런 식으로 얘기해? 내가 그렇게
미친년같아보여?"
"하... 소리 좀 줄여. 엄마가 어제도 말했잖아.
너 정신병원 가야해."
"아니. 나를 그 곳으로 보내겠다고? 심지어 엄마 딸은
정신이 이상하지도 않는데? 어떻게 그래?!"
"영원아. 너 이제 그만해. 네가 박유환인가 걔만 안 만났어도
이런 일 없었을 거 아니야? 하.. 네가 노래 만들 때부터 잘 못됐다고
느꼈어. 다 결국 나비효과로 이렇게 되네."
엄마는 한숨을 쉬면서 한탄했다.
"아무튼 10월 18일에 정신병원으로 상담하러 갈 거니까 그렇게 알아.
엄마 바쁘니까 이제 끊어."
"아니 엄마 좀..!!"

뚝-

전화는 끊어졌다.
나는 머리가 곧 터질 것만 같았다.
“원아야.. 통화는 잘 했니?”
소리가 들려서 보니까, 선생님이시다.
선생님은 내 손목을 꼭 잡으시면서, 이렇게 날 달래주었다.
“원아야. 솔직히 말해서 너는 유한이에게 미련도 남아있고,
너도 지금 재정신이 아니야. 정신병원 은근 네가 다니는 병원이랑
다를 거 없으니까. 이번만 다니자.”
“제가 그 아이를 아직도 좋아하는 거는 맞는데... 그거가지고
미련이 있다면서 정신병원을 가는 것도 이상하지 않으세요?”
“원아야.. 어머니와 선생님은 너를 위해서 그런 말을 한거야..”
그리고 난 그딴 말 따위는 들리지 않았다.
난 이 상황을 벗어나기 위해 대충 반응을 하고,
선생님은 회의를 하러 가셨다.
내 눈은 하염없이 눈물을 흘리고 있었고,
그것을 남들에게 숨기기 위해 손바닥으로 얼굴을 압박했다.

학교를 나가려고 엘리베이터를 탔다.
원래는 다음 쉬는시간까지 기다려서 반 친구들을 맞이할 계획이였건
만. 지금의 나는 그럴 기분이 아니였다.
엘리베이터가 멈추고 밖으로 나왔다.
하늘은 역시나 회색빛이였고, 다행히 비는 더 이상 오지 않았다.
그렇지만 날씨는 너무 추웠다. 여름이 그리워지는 그런 온도였다.
교문을 통과할 때, 경비 아저씨를 향해 인사를 하였다.
경비 아저씨는 바쁘신지 내 인사를 무시하는 것같이 지나쳤다.
버스정류장으로 거의 기어가듯이 걸어갔다.

가슴이 쿵- 쿵- 아파왔다.
어찌나 빠르게 뛰는지.. 눈을 감고 귀를 막아도 진동은 멈출 새도 없이 나를 괴롭혔다.
"시발.. 어떻게 하나부터 열까지 다 좆같지.."
나는 좆같은 것들을 머리에서 하나하나 다 나열하기 시작했다.
일단 날씨부터 별로이다.
올해의 여름은 끝 없이 흐느러지는 여우비도 없었고,
힘 차게 내리는 소나기도 없었다만,
왜 지금이여서야 그 고통들이 쏟아져 나오는가.
오늘 버스를 못 탄것도, 비를 두려워 한 채 편의점에서 숨은 것도, 정신병원에 곧 가야한다는 것도, 내 심장이 지금 미친 듯이 뛰어서 아픈 것도, 그리고 무엇보다 제일 좆같은 것은.. 이것들에 의해
멘탈이 깨져서 울고있는 나 자신이다.
...난 지금 그 아이가 너무 보고싶다.

피곤한 몸은 이끌고 집에 오자마자 번뜩. 구역질이 났다.
이유라 하면은 잘 몰랐지만, 아마도 오늘 약을 안 먹은 상태에서
갑자기 그 아이가 생각났기 때문인 것 같다.
투명한 누군가가 내 명치를 거칠게 치는 것 같았고, 그 느낌이
너무나 찝찝해서 곧바로 변기로 달려갔다.
그리고 입을 벌려 있는 힘껏 위액들을 전부 다 뱉었다.
그것은 곧 토로 변하였고, 토를 하는 도중에 내 입은
따갑고도 짜증났다.
약 한번 안 먹었다고 왜 토가 나오나.
그 생각은 곧, 운명이 나를 괴롭히고 있다.라며 판단을 하게
만들었다.
변기를 붙잡고 나머지 토를 마저했다.

지금 찌끄러기들이 내 목을 차고있고.
배는 아파 죽을 것만 같았다.
내 온 몸은 땀투성이가 되면서도, 내 배 속에 있는 모든 것을
토해내려고 노력했다.
음식, 장기, 뼈, 심지어 내 살덩이들 까지.
모든 것들을 뱉어 없애고 싶었다.

한동안 변기 옆에서 주저앉았다.
나는 힘이 다 빠져나갔고, 더 이상 움직이기도 싫었다.
그래도 침대로는 가야지.
변기물을 내리고 손을 깨끗하게 씻었다.
그리고 비틀비틀 걸어가며 내 방의 침대에 누웠다.
한숨을 푹- 쉬었다.
지금 시각은 5시.
지금 자기에는 결코 늦은 시간이 아니지만,
그렇다고 무엇을 하기에는 내 체력이 안된다.
눈이 점점 감겨오고.. 이불을 껴안으며 잠에들으려 했지만
갑자기 핸드폰에 울린 시끄러운 알림으로, 내 졸음은
저 멀리 날아갔다.
나는 자고싶지는 않지만, 그렇다고 무엇을 하기에는
너무 피곤하다.
그렇다면 일기를 쓸까..
내 가방에서 일기장을 꺼냈다.
약 2개월 전에 엄마가 일기를 쓰라고 주었던 것인데
귀찮아서 매일 미루다가 결국은 어제 처음 썼다.
이제 내가 이 두 번째 일기를 쓸 차례이다.

일기라도 해도.. 난 딱히 일상을 쓰고 싶지 않다.

처음 쓴 어제의 일기도, 내 하루는 개뿔 심심할 때 시를 쓰던
실력으로 예전의 그리움을 써냈다.
그렇다면 오늘도 그렇게 작성하고 싶다. 그렇게 생각했다.
나는 자연스럽게 그 아이에 대한 것을 적었다.
그 아이와 첫 만남.. 그리고 그 아이를 만난 후.
난 그것을 안타깝고도 어설프게 기억하고 있었고
그것은 곧 나의 삶의 의미이다.

난 거의 한 시간동안 그것을 열중히 했다.
내 손에는 땀이 차 올랐고 집중을 많이 했는지
다리를 떨면서 계속 연필을 쥐어잡았다.
이 다음을 어떻게 써야할지, 고민이다.
같은 말만 반복하면 너무 지루하고, 그렇다고 새로운 말을
쓰기에는 내 어휘력이 부족하다.
난 그러다가 문득 어떤 종이 하나가 떠올랐다.
책상 서랍을 구석구석 살피우고, 난 거의 낡아 떨어져가는
종이 하나를 발견했다.
그 아이가 3개월 전에 준 종이였다.
왜 주었는지는 까먹었지만, 아무튼 좋은 뜻으로 준 것은 확실하였다.
책상에 있던 안경을 꺼내서 그 종이에 적혀있는 글자들을
하나하나 확인한다. 확실히 머리가 좋은 그 아이는
이런 문학적인 면에서도 완벽했다.
'빛의 심판 검은 물결을 주었네.', '청춘 유혹'
이라는 부분은.. 그야말로 무결함인 부분이였다.
난 저 부분을 참고하고, 바꾸고를 반복하여 오늘의 일기라는
글귀를, 그 아이의 도움으로 완성했다.
지금 보니까, 내 글씨체가 영 엉망이다. 이럴 때 글씨체가
이쁘던 그 애가 생각되곤 하다.

오늘 쓴 이 글귀는 나에게 그 아이의 영혼이라도 되는 거 같이
소중히 아껴했다.
다시 생각해도 너무나 마음에 들어, 다시 한 번더 천천히 읽어보았건
만, 이상하게도 남는 것은 연연함이였다.
첫 문장과 끝 문장까지 내가 그 아이와 있으면서 느꼈던
심리와 다름없이 일치했다.
그것은 약 같이 써서, 난 감탄고토(甘呑苦吐)의 정신으로
일기장을 확- 닫았다.

길었던 어제가 순식간에 지나가버렸고,
내 시간은 10월 16일 이였다.
난 내 방 침대에서 일어나자마자 주방으로 갔다.
엄마는 회사를 갔나보다. 오히려 그것은 나에게 좋은 일이다.
냉장고에서 물을 꺼내 컵에 담고, 빈 속으로 약을 꿀꺽- 먹었다.
의사선생님이 절대로 빈 속에 약을 먹지 말라고 하셨지만,
알빠가. 그 따위 잔소리는 듣고싶지 않다.
아침이 약간 지나 점심이 다가올 때는, 그다지 밥이 먹고싶지 않다.
요즈음 갑자기 비가 많이 오나, 날씨는 기분이 좆같게
계속 어둡기 짝이없다.
“하..”
깊은 한숨을 쉬며 지금 다른 이들은 무엇을 하고 있을까.
생각을 했다.
곧 점심시간이므로 지루한 수업을 빠져나가 오순도순 대화를
행복하게 하며 급식실로 갈 것이다.
듣기만해도 행복해 보였지만 난 그들처럼 살기는 싫었다.
왜냐하면 나는 그럴 자격이 없기도 해서.. 가 내 결론이였다.

작은 머그컵 안에 차가운 믹스커피를 담았다.

믹스커피는 싱크대 옆 자유 공간에 아주 많이 남아있어서
내가 가져가도 혼내지는 않을 것이다.
솔직히 나는, 카페인을 마실 때마다 나를 혼내는 엄마와 의사선생님이
이해가 되지않는다.
지금 이 상태에서 그런 거를 먹으면 몸이 더 안좋아진다..
그런 이야기를 한던데, 나는 철없고 이상한 아이여서 계속 그렇게
지껄여도 나 자신은 딱히 달라지는 것이 없다.
오히려 나에게 화내며 소리칠 때, 나는 더 하고싶은 법이다.

나는 무기력을 안았다.
아니, 무기력이 날 먹어삼킨 것인지도 모른다.
아무것도 하기 싫고, 아무 말도 하고 싶지 않다.
침대 위 이부자리는 더러워질대로 더러워졌고,
책상은 산만하기 그지없다.
한 2시간 전에 먹은 믹스 커피를 담은 머그잔은, 설거지조차도
안 해놨다.
나는 침대가 너무 질려버려서 소파에서 누웠고, 내 손은 어떤
메모지를 만지작거렸다.
그 메모지는 벌써 낡아버렸으며, 손 짓 하나의 잘못으로
찢어질 것만 같았던. 얇고 허약한
내가 그 아이에게 주려고 했던. 편지이다.
난 그 편지를 보곤 눈을 감고 싶어지곤 한다.
그것을 가슴에 품고 저 멀리. 날아가고 싶긴 하다.
그 느낌은 보드라우면서도 나를 멍하게 만들었고,
기분은 행복에 솟구쳐 미칠 것만 같았다.

그렇게 기분의 공기를 가득 마시고 나서,
텁텁한 눈을 뜨면..

세상은 온통 까만색 먼지에 불과했다.

난 어찌도 더러운지,
내 손목은 언제부터인가 엉망이 되고,
흉터가 진하게 남은지는 한참이다.
오늘도 그 생각이 나버려서, 손목은 더욱이 빨개졌다.
책상에 흘린 피를 물티슈로 닦고 쓰레기통에 버리려고 했지만,
엄마가 그것을 마주하면 또 나를 한심하게 여길 것이 뻔하기에
내 방에 차곡차곡 모아두었다.
나중에 한 번에 버리기로 계획을 했다.
고요한 내 집에서, 비닐봉지 부스럭되는 소리와 칼을 집어내는
소리만이 아울어졌다.
난 충독적인 사람인지라 갑자기 생각나면 이렇게 칼을 손에 쥐기도
한다.
오늘은 좀 깊었는지, 두 개로 갈라진 살들이 꽤 두껍다.
그리고 그 사이로 혈액이 줄줄.. 흐르고 있었다.
비위가 약한 나는 두 눈을 딱 감고 휴지로 그것을 꾹 누른다.
휴지로 지혈을 하면, 쓰레기가 많이 나와서 보는 눈에 안 좋긴 해도
딱, 했을 때 그 쾌감은 장난이 아니다.
언제는 또, '이렇게 까지 해야하나?' 라고 생각이 든 적도 있어서
끊으려고 노력은 해보았지만.. 막상 약을 끊듯이
끊으려면 많은 시간과 마음가짐이 필요했다.

오후 4시, 하루종일 인형을 안고 티비를 보았다,
티비도 더 이상 볼 것이 없다. 그래서 핸드폰을 보자고 하면
또 그 때마다 볼 것이 없었다.
내 눈은 더더.. 피곤해지고 말았다.
난 이대로 자면 새벽에 일어날 것을 알기에, 잠을 좀 깨려고 냉장고에

있는 찬 물을 먹었다.
주방에 있는 많은 컵을 중, 그냥 싸구려 컵을 하나 들고서 물을 따랐다. 그러고 한 입 마시자마자..
엄청난 두통이 나에게 몰려왔다.
그 두통은 말로 설명할 수 없었던 그야 말로 나에게 얻은
고통 중에서 제일로 엄청나다.
나는 어떻게 할줄 몰라 바닥에 뒹굴며 괴로운 신음소리만 낼 뿐이였다.
"하.... 아.."
두통이 이렇게나 아플 수 있는 것이였다니, 나는 말할 힘도 잃어갔다.
그러자 내 머리 속에서 어떤 것이 번쩍! 하고 떠올랐다.
나는 작지만 최대한의 있는 힘으로, 화장실로 달려나갔다.
아니, 사실 힘도 없어서 기어간 것 일수도 있다.
잽싸게 변기 통을 열고서, 토를 해냈다.
어제보다 더 심한 토 자국들이 내 입에서 변기로. 흘렀다.
그것은 토마토를 먹다 만 것같이 너무나 빨갛다.
내 목에서는 점점 피 맛이 느껴지고, 피가 흐르는 느낌은
선명하기 짝이없다.
정말 열심히 뱉었다. 내 생각까지 다 뱉은 것처럼.
아무 감정과 아무 느낌. 또한 아무 감각도 없는 상태에서.
나는 갈기었다.
그런데 어쩌한지.. 왜 토를 하면 할수록 마음은 한 켠 가벼워지고
머리도 맑아지는가.
나는 기런 기분을 느끼는 것이 좋아서, 쉴틈없이 토를 했다.
그리고 입에 피를 가득 묻힌 채, 변기 앞에서 쓰러지듯
휴식을 취했다.
난 엄마가 알면 큰일이라도 날 것 같아서, 빠르게 변기를 내리고
그 주위를 닦았다.

입이라도 씻으려고 싱크대 옆 거울을 본 순간,
내 모습이 더럽고도 야만스럽게 보였다.
그 자리에서 어리숙하게도 쓰러졌다.

그 날의 하루는 엄청나게 빨리 뛰어갔다.
난 요즘, 날마다 가면갈수록 시간이 빠르게 가고있다는 것을
느낀 것 같다.
오늘 아침은 소파에서 일어났다.
왜 소파에서 일어난 것일까.. 고민을 했다.
어제 토를 한 이후, 술을 마신 것처럼 아무 기억이 나지 않는다.
보자.. 생각을 해보자.
난 어제 공복에 약에, 또한 커피를 마셨고, 토를 했다.
그리고 토를 하고서 쓰러지고....
으... 그 이상은 기억이 잘 나지 않는다.
난 그렇게 대충 넘어가며, 오늘도 물 한 잔을 먹기 위해
냉장고 문을 연다.
물을 꺼내니까.. 냉장고에서 무엇인가 보인다.
그것은 김밥을 담은 통이였다.
그리고 그 통 위에는, 작은 메모지가 붙여져있었다.
글씨체를 보니까 아마도.. 엄마인가 보다.

공복에 약 먹지 말고, 이거 먹고 약 먹어

난 그것을 보자마자 알아챘다.
아, 날 화장실에서 소파로 이동시킨 사람은 엄마이구나.
그러면 아마도 내 입에 작게 묻혀져있던 피도 보았을 것이다.
나는 그 이후로, 엄마에게 혐오를 받을 것이라고 예상했다.
그것은 확실한 예상이였다.

오늘도 공복에 약을 먹을 예정이다.
이유라 하면은 어제의 행복이 샘솟아넘칠 정도로 기분이 좋기도 했고,
아침에 밥을 먹으라는 엄마의 말에 대한 반항이기도 한다.
“약이... 어디에 있지.”
내가 찾던 서랍에는 약이 없었다.
이상하네.. 그러면 엄마가 다른 곳에 두었던가.
난 엄마가 약을 두었을 것이라고 예상하는 곳을 열심히 뒤져봤다.
아무리 생각해도 약은 없었다.
엄마한테 연락이라도 취해야하나.. 그런 생각에 핸드폰을 키는 도중에,
타이밍이 좋게도 엄마에게 메시지가 왔다.

20XX.10.17

**-원아야 냉장고에 있는 김밥 봤니? 그거 다 먹고 엄마한테
다 먹은 사진 보내. 그러면 엄마가 약 어디에 있는지
알려줄게.**

그 메시지를 보고, 약간의 소름이 끼쳐오는 것도 있었지만은..
제일 많이 든 생각은
‘진짜 지랄이네’ 이다.
나는 그것을 본 이후로, 더욱 더 김밥을 섭취하기 싫어졌다.
배고프고 말고를 떠나서, 그냥 꼴도 보기 싫다.
냉장고에서 김밥을 담은 통을 꺼내. 뚜껑을 열었다.
비쥬얼을 보니까.. 아마도 옆 상가 1층에 있는 분식집에서
사온 것 같다.
난 그것을 싱크대로 꾸역꾸역 넣었다.
싱크대가 넘쳐흐를 정도였지만, 그래도 계속 넣었다.
계속.. 끊임없이..

그리고 방금 전까지만 해도 김밥이 있던 통을 찍어서 엄마에게 보냈다.
다 찍고 보내고 나서, 난 그 통을 싱크대에 던졌다.
"하... 하.."
약간 더러운 생각에 빠져들었던 탓인지, 한숨이 절로 나왔다.
이제 약을 찾으려고 엄마와 하는 메시지를 보는 순간,
내가 보낸 사진 옆에 있던 1이 살아졌다.
엄마는 일 때문에 항상 늦게 오고 일찍 나가지만,
메시지는 신기하게 잘 보는구나. 생각이 났다.

-그래 잘했네. 그러게 왜 어제는 공복으로 약을 먹어서는..
약은 엄마 방의 침대 옆 첫 번째 서랍에 있어.

제기랄. 난 왜 엄마 방을 뒤져보자는 생각을 하지 못했던 걸까.
지금 내가 엄마에게 보낸 사진을 보니까, 마치 내가 패배라도 한 듯 기분이 찝찝해졌다.

엄마의 방으로 가서 침대 옆에 첫 번째 서랍을 열어보니까
정말로 약이 있었다.
허나 그 약의 포장지는 서랍에 있던 먼지와 뒤 섞여,
정말이나 더러운 포장지가 되었다.
물론 포장지이니까 먹는 약에게는 괜찮겠지만,
기분이 묘하게 안 좋다.
그런 안 좋은 기분이 계속되고, 약을 먹을 생각은 점점 잦아졌다.
난 결국은, 나에게 너무나 필요한 약을 먹지 않기로 했다.
그리고, 또 날아온 엄마의 한 메시지는, 나를 노하게 만들었다.

-그리고, 내일 정신병원 상담 하러 갈거니까
그렇게 알아둬.

나는 엄마에게 '정신병원' 이라는 단어만 들어도 삶의 의욕이
뚝- 떨어지고 무엇이든 하기 싫어졌다.
어차피 정신병원에 가면.. 무엇을 하든 다른 사람들의 시선으로
살기 싫어질 것인데. 왜 굳이 무엇을 하려 애를 쓰나.
그렇게 나는 점점 무기력해지는 것을 느꼈다.
이런 상황에서 나는 어떻게 벗어나야 할까. 아니, 벗어날 수는
있을까..? 어쨌든 내 인생은 곧 망하지 않을까..?
주먹에 힘을 꽉 쥐고, 이 손으로 날 당장 때리고 싶었다.
너무나 답답했다. 병원이든 집이든 학교든....
난 지금 너무 죽고 싶다. 그런 생각뿐이다.

약을 안 먹으니, 갑자기 무엇을 할 의지가 땅을 향해
가라앉고 있었다.
지금의 기분은, 엄마와의 연락 때문에, 정말 최악으로 다가갔다.
그러면 나는 무엇을 해야할까, 라고 나 자신에게 말 하면..
딱히 대답을 할 이유가 없다.
난 고작 이렇게 누워나 있는 거 밖에 할 수 있다.
밖에 오는 비를 보며.
아, 생각을 해보니, 저 빌어먹을 비는 14일부터 오늘까지. 매일매일
온다. 만약 비가 안 오는 날씨면, 하늘이 무척이나 흐리다.
"하.. 어쩌라는거야 시발."
난 저 비를 보며 욕을 하는 것이 일상적이였다.
내 하루하루는 모두, 욕으로 이루어져있다.
난 비가 언제 쯤 그칠까 하는 마음에 티비에서 뉴스를 켰다.
운이 좋게도 내가 티비를 키자마자, 아나운서가 곧 날씨를
통보할 예정이라고 한다.

‘요즘 비가 너무 많이 오고 있죠. 오늘도 전국적으로 비가
쏟아질 예정이지만, 다행이게도 내일부터는 비가 끝나고
다시 쨍쨍한 하루를 보낼 수 있을 것입니다 여러분!’

기상캐스터는 정말 긍정적인 말만 한다.
오늘도 비가 계속 올 것이다. 그런 사실은 나를 힘들게 만들었다.
물론 하루종일 나갈 곳 없이 집에만 있어서야.. 교통마비나
물 넘침은 없다. 그게 나에게 무척이나 좋건만
집에 있을 때, 창문 밖에서 비가 오고 있거나 하늘이 회색빛으로
흐리면, 기분이 안 좋다.

이렇게 보면, 내 인생은 심각하게 지루하다.
약도 안 먹어서 속은 괜찮고, 그러므로 토사물도 나오지 않는다.
어제와 다르게 과연 할 것이 너무 없었다.
난 계속 그렇게 백수처럼 뒹굴고 있는 상태였지만,
갑자기 자연스럽게 내 방으로 들어갔다
그것은 예전 습관이였다. 한 때는 내 방에서 시간을 보냈으니
지루할 틈이 없었기 때문이다..
그리고 침대에 앉는다. 내 눈은 방을 이리저리 돌려보고 있었다.
뭐 할 것이 없나.. 문제집이라도 풀까. 책이라도 읽을까.
라고 생각은 잠시 했지만.. 머리를 쓸 만큼은 아니였다.
오히려 머리를 쓰면, 내 정신은 훨씬 더 무기력해져서
오히려 그것을 꺼려했다.
그리고 계속 둘러보자마자, 내 컴퓨터와 키보드가 보인다.
갑자기 손에 이끌려 컴퓨터와 키보드를 켜버렸다.
그리고 의자에 앉아서 다리를 꼬았고, 컴퓨터가 켜지기를 기다렸다.
그 틈에 나는 키보드를 만지작 거렸다.
“음...”

예전의 기억을 살려서 코드와 멜로디를 살짝 연주했다.
한 3개월 정도 안 했나.. 그렇기에 손이 너무 굳어있었다.
옛날에 많이 했던 손가락 스트레칭을 쭈욱- 하고.
다시 한번 더 키보드에 손을 갖다 댔다.

—

이게 무슨 일인가..
내 손가락은 기억이 남아있는지, 한 치의 실수 없이 그것을 쳤다.
매끄럽게. 쳐나갔다.

 나는 몇 개월을 안 했지만 너무나 자연스러운 연주를 한 나 자신이 신기하기도 했지만, 제일 궁금한 것은 이 곡이 무슨 곡이였는가.
였다.
나에게 이 곡은 '내가 만든 곡' 이라는 생각을 하게 만들 뿐,
자세히 무슨 곡인지는 결코 알 수 없었다.
코드는 C-G-Am-Em-F-C-F-G, 멜로디도 코드와 비스무리하게 엮어져 있다.
이것이 무엇일까... 나는 옛날의 일을 더듬으려 했다.
'옛날의 일... 옛날의 일.. 옛날이라고 하면, 내가 싱어송라이터를 했던 시기? 아니면 그만 두고 그 아이를 만난...'
그러자 누군가 내 머리를 치는 것과도 같이, 큰 충격이 나에게 왔다.
이 곡은... 내가 그 아이와 함께 합작 하기로 했던 곡이다.

 이런 곡을 내가 까먹고 있었다니. 라는 말이 머릿속에서 맴돌았다.
나는 재빨리 켜진 컴퓨터에서 내가 노래를 만들 때 많이 쓰던 앱을 찾았다. 그것을 찾는 것은 그다지 어려운 일은 아니였다.

내 컴퓨터 배경화면에 떡하니 있기 때문이다.
난 그 앱을 클릭하고, 내가 작업 목록에서 내가 작업 중이던
노래를 하나 찾았다.
날짜를 보니까 6월 21일. 멜로디와 코드를 보니깐.. 그 곡이 확실히
맞다. 그 곡의 작업은.. 코드와 멜로디까지만 완벽하게 다 되어있었다.
난 이 곡의 끝을 맺고 싶었다. 이 곡의 노래를, 부르고 싶었다.
나는 내 컴퓨터 옆 구석에 있는 녹음용 마이크를 꺼내어,
그 앱과 연결을 했다.
요즈음에 하도 안 쓴 마이크 인지라, 성능이 안 좋을까봐
간단한 마이크 테스트를 하고, 다행히도 성능이 좋은 것을
깨달았다.
그리고 가사를 만들어야 하는데.. 어쩐지 가사가.. 기억이 나는 것
같았다. 가사가 어떤 느낌인지는 기억이 나서, 머리를 쥐어짜서
기억을 해냈다.
'대충.. 빛의 심판, 청춘 덫..? 이런 것이였던 것으로.. 기억이 나는데..'
잠시, 그 단어들은.. 어디서 보았다. 무려 2일 전에.
나는 그 아이가 준 종이를 펼치고, 단어들 전체적으로 스윽-
읽어보았다
분명 맞다. 이 가사지가 맞다.
나는 이 종이가 가사지라는 것을 생각하지 못한 2일 전 내 자신이
어리석기도 했지만, 지금은 그것을 후회하고 있을 때가 아닌,
바로 녹음을 할 때이다.

완벽한 녹음을 하기 위해 목을 풀었다.
노래는 얼마만에 해보는 것인지, 약간 떨리는 것 같다.
전체적인 멜로디를 쭈욱 듣고, 가사에 맞추어 불렀다.
이렇게 보니까 수정 할 것도 없는 완벽한 가사이다.
한 5분 동안 그렇게 연습을 했을까. 이제 정말 시작했다.

녹음 시작.을 누르고 노래를 불렀다.
중간 간주 덕분에 반 하고, 쉬고 하는 것에서
긴장이 풀리었다. 그리고 노래의 중간까지 불렀을 때,
나는 녹음 한 것을 들어보았다.

–

아니. 이게 아니다. 싱어소라이터의 시절이였던 나와
너무나 다르다.
나는 주방으로 뛰어가서 물 한 컵을 전자레인지에 1분 정도 돌렸다.
따스해진 물을 마시고, 목을 한 번 더 풀어보았다.
확실히 물을 마시고 목을 푸니까 목소리가 더 좋아진 느낌이 든다.
“아– 아”
간단하게 목소리를 체크하고, 또 다시 노래를 부른다.

–

시발. 이거 또한 아니다. 첫 번째 시도보다는 좋았건만,
뭔가.. 아직 부족한 느낌이다.
무엇이 문제인지 고민을 했다.
‘목소리는 확실히 좋아. 그러면 어느 것이 문제인가..?
음정도 잘 맞고, 저 중간 약간의 고음도 깔끔하게 올라가지만,
이것 만으로는 부족하다.’
약 20분 정도 그렇게 생각을 했을까. 내 눈에 갑자기...
눈물이 나오기 시작했다.
아마도 일이 원활히 안 풀리는 것도 그렇고, 이렇게나 열심히
생각을 했는데.. 계속 모르는 것도 이유가 될 것이다.
이딴 문제로 우는 내가.. 정말 개걸스럽다.

아무리 요즘 눈물이 많이 나오다고 해도, 이런 것 가지고 울면
나는 앞으로 어떻게 살아가야 하는 것부터 문제이다.

난 이 노래의 분위기를 따라가는 것부터 문제였다.
평소 내 노래와는 다르게, 그 아이와 함께 만든 이 노래는
이전 노래보다 더 슬프고 애절하다.
그러니, 부를 때 엄청난 감정이 필요하단 것이다.
'근데 그렇다면, 지금 내가 울고 있는 상태에서 녹음을 하면,
더 잘 어울리지 않을까?'
요즘의 나와 다르게, 약간 긍정적인 생각이 든다.
정말 내 생각대로, 긍정적인 모습으로 노래를 부르면..
그 안되는 몇 프로를 채울 수 있으면. 좋겠다.
이번이 마지막. 이라는 마음가짐으로 녹음을 했다.

—

이제는 정말, 나는 완벽함을 차지했다.
중간 간주 전에 내 녹음은 그야말로 흠이 없는 구슬이였고,
간주 후 내 녹음은 울먹이는 목소리를 들려줌으로,
이 노래와 가장 잘 어울린다.

벌써 노래를 다 만들었지만, 난 이것을 어떻게 할지 모른다.
옛날의 나라면 이 노래를 사이트에 올렸겠지만, 나는 그럴
용기가 없었다.
나는 논란으로, 거의 그만두었다고 볼 수 있기 때문이다.
벌써 약 7개월 정도의 잠수이므로 조금이나마 남아있던 팬들도
나를 떠났을 거란 비극적인 생각이 든다.
하지만 그렇다고 내가 혼자 이 곡을 가지고 있기엔,

이 곡은 그야말로 무릉도원같은 편안함과 죽음의 슬픔을
알려주는 곡. 같은 느낌이여서 너무나 아깝다.
내가 이리저리 돌고서 어찌 할 바 모르고 있을 때,
나는 자연스럽게 그 아이와 한 메시지를 보았다.
그 메시지만 보면.. 복잡한 내 마음은 술술.. 가라앉힌다.
그렇지만 나에게는 '이것' 때문에 지금 컨디션이 그다지 좋지야 않다.

1-응! 좋아해 유환아.

난 저 남은 '1'이 너무나 신경이 쓰였다.
혹시, 그 아이는 나를 싫어했다더나.. 그런 것은 아닐까?
뭐 내가 싫어서 자살을 했다던가.. 그런 거 말이다.
그렇게 생각해보면, 참으로 비참한 일이면서도 죄책감이 장난이 아니다.
설마, 그가 그러겠어.
라고 단순하게 넘어가려고 했지만,
난 그렇게 단순하지 못했다.

아니, 생각을 해보면은. 내.. 잘못이 있지도.. 않을까?
그 아이가 기말고사 때문에 스트레스를 받았다고 한동안
말을 안 걸었는데.. 자세히 생각해보면
그것에 의해 그 아이의 자살은 한 발자국 더 가까워지지 않았을까?
'아니야. 그 아이의 눈은 분명히 나를 좋아하고 있었고, 우리는 서로의 힘듦과 스트레스로 인한 오해였던 거야.'
'...그렇지만 그 아의 눈은 그저 눈이다.
눈은 사랑의 의미따위 알려주지 않는다.
만약 저 눈이 정말로 사랑을 알려준다고 해도, 내가 그 사랑을
완벽히 이해하였을까?'

두 갈등이 내 내면 위에 싸운다.
그러면 난 이제 어떻게 해야하지.
그런 생각이 든 나는, 정답을 알아내기 전까지 이런 식으로의
머리 아픔만 계속 나를 괴롭힐 것이다.
"아... 시발 안 되겠어."
나는 참을 수 없는 고뇌에 빠져, 지금의 나를 잃은 채
책상 위에 있던 칼을 꺼내들었고, 항상처럼 손목에 그것을
닿으려 했다.
그러자 켜진 핸드폰에, 무엇인가 보였다.

—응! 좋아해 유환아.

바로 내 메시지 옆에 있던 '1'이 사라진 것이다.

나는 너무나 놀랐기 때문에 그 상태에서 멈추었고,
난 칼을 다시 책상에 두고 핸드폰을 눈이 아프게 뚫어져라 쳐다보았다.
'1이 왜 사라진 것이지..? 설마 죽은 그 아이가 다시 살아서 온
판타지 이야기는 아닐것이고..'
다시 생각해도 도무지 이해가 되지 않는다.
그리고 3분이 지났을까. 나는 메시지를 보내기로 했다.
그러면 어떻게 보낼까.. 오랜만이라고 인사라도 해야하나.

—안녕하세요.

그 누군가는 메시지로 인사를 하기 시작했다.
일단 저 말투로 보아, 잠시 기대했던 그 아이가 아닌가보다.
라고 생각했다.

-저, 유환이 엄마입니다. 유환이의 죽기 전
여자친구.. 맞으시죠?

나는 저 메시지를 보자마자 저번 카페에서 보았던
아리따운 여성분이 생각났다.
저 말투는. 그 여성의 외관과 비슷하게 모던하다.

-이태까지 감사했다고 말하고 싶습니다.
유환이가 원아씨 덕분에 조금이라도 더. 살았거든요.

-네..? 그게 무슨 말인지...

-종현이에게 들었을 것이예요.
우리 집안의 사정을요.. 그것 때문에 유환이는
정서적인 폭행이랑 폭행은 세상에게서
무수히 많이 받아서.. 이미 마음을 다친지 오래거든요.
그렇지만 그 때, 원아씨를 만나서 유환이는
잠시나마 집 안에서 미소를 보였습니다.
정말.. 감사합니다.

나는 그런 메시지를 보자마자, 옛 생각에, 눈물이 차오를 것만 같았다.
정말로 그 아이와 함께 메시지를 하는 것만 같았다.
난 더욱이나 몰입을 했다.

-저도... 그 아이를 만나서
잠시나마 구원을 받았습니다.
저, 사실 너무..

이 말을 하면, 내 인생은 불안전 할 수도 있지만,

그래도. 이 말만큼은 저 하늘에 있는 그 아이에게
꼭. 말하고 싶었다.

—그 아이를 따라가고 싶거든요.

내가 말한 그 말은, 눈치 없는 말이였을까.
갑자기 그 아이의 어머님은 말이 없어졌다.
약간 머쓱해졌을 때, 그 아이의 어머님은 이렇게 말을. 했다.

—서로가 서로에게 그런 존재였다면, 그래도 된다고..
저는 생각해요. 어차피 서로가 사라졌으니.
이 세상에 있든 말든 그게 무슨 상관이겠어요?

—그렇죠.. 그 아이는 저를 뛰어넘는
천재이자, 또 저를 행복하게 만드
는 인물이였고, 현재도 그렇고.
먼 미래에도 그럴 것입니다.

—아. 그러고보니 원아씨는 싱어송라이터
라고 하셨죠. 유환이와 합작을 준비 했다고
들었습니다.
유환이가 종종 저에게 이렇게 말합니다.
자기는 원아가 꿈을 절대 포기하지 말았으면
한다고.. 매일매일이 행복했으면 좋겠다고.
그러면 자신은 어떻게 되든 상관이 없다고.
말하더군요.

불현 듯 무엇인가. 떠올랐다.
내 심장 속 깊은 곳에서 있던 큰 야심이.
갑자기 내 앞으로 툭. 튀어나왔다.

나는 핸드폰을 집어던지고, 다시 컴퓨터를 보았다.
그리고 내가 항상 곡을 내는 사이트에 들어가서,
앨범 표지를 골랐다.
이 푸르고 빛나는 이 표지의 주인은 나이다. 분명히 기억이 난다.
그 아이와 함께 찍던 그 아이와의 추억. 인 것이다.
나는 그리고, 아까 전에 다 만들었던 곡을 선택했다.
그리고 음원 올리기...를 클릭. 해야하는데
왜인지.. 손가락이 안 움직인다.
기억하자. 나는 지금 논란 때문에 휴식기간이라는 잠수를
타고 있다.
사람들이 나를 이상하게 보면..? 그리고 나에게 나쁜 댓글을
달거나.. 그러면 어떡하지.
이 고민은 평소와는 달리 엄청나게 짧았다.
그래, 사람들이 나를 이상하게 보고, 나를 욕하고. 나를 째려보고
또한 나를 버린다고 하더라도!
내 운명을 알던 나는, 딱히 상관이 없다고. 생각했다.
그리고 손가락을 까딱- 클릭했다.

따끔한 해가 내 눈을 비추었다.
창문으로 밖을 내다보았다. 날씨는... 곱디 곱다.
새는 짹짹 울고 있고, 어린 초등학생들의 웃음소리가 난무하다.
정말 어제의 기상캐스터 말이 맞았다.
오늘은 해가 하염없이 웃는다.
그리고. 오늘인 것이다.

가벼운 발걸음으로 냉장고를 열었다.
엄마가 또 밥을 준비해왔을까, 보았다.
익숙한 통이 보이고, 그 위에 있던 메모지를 확인하였다.

오늘 엄마의 말은, 밥을 먹고, 4시까지 나갈 준비를 다 하라고 말하였다.
오늘의 밥은 유부초밥이다. 일부로 엄마가 내가 좋아하는 것을 사왔을까. 은근 기분은 좋았다.
통을 식탁에 두고서 손으로 유부초밥을 하나, 내 입 속으로 넣었다.
이거, 맛있다.
먹으며 생각을 해보니까.. 이 집에서 오랜만에 밥다운 밥을 먹은 것 같았다. 이런 내 생각에.. 엄마한테 살짝은 미안해진다.

오늘은 약을 먹지 않았다.
약은 솔직히 나에게 너무 씁쓸하기도 하고, 먹기도 귀찮다.
먹는 이유는 단 하나, 몸이 건강해지기 위해서이지만,
난 지금이면 그것을 신경 안 써도 괜찮다고 생각했다.
소파에 눕고, 핸드폰을 보았다.
어제 곡을 올렸던 사이트에 들어갔다.
내 핸드폰의 알림은 지금까지 너무나 많이 왔기 때문이다.
사람들의 반응들.. 전부 다 달랐다.
그들, 몇 명은 나를 반겨주었고, 몇 명은 나를 비난했다.
그 중에서 제일 마음이 아픈 것은. 아주 조용히 짧게 비난을 하는 것이다. 아주 작은 상처이지만, 그 파격력은 큰 상처보다 더 쓰리고 무섭다.
난 이제, 이 사람들과 이별을 해야한다.
사이트 커뮤니티에 들어가서, 이렇게 썼다.

여러분은 잠시나마 저에게 기쁨이였습니다.
물론 많은 아픔도 있었고, 더 심한 비난도 끝이 없었지만,
저는 이제 그것을 정이라고 하기로 했습니다.
감사하고 미안합니다.

그리고 작은 폰트로, 이렇게 썼다.

영원아 드림.

코 끝이 매워지고 찡해진다.
울보인 나라면, 당연히 울 것이라고 확신하긴 했지만,
예상보다 더욱이나 슬펐다.
그래도 나는, 슬프면서도 살면서 정말 오랜만에 느끼는
해방감을 느끼고 있었다.
그리고 해방감이 다 안 가신 채,
난 이 글을 올렸고 폰을 박살을 내려고 했다.
지금 내 집 층은 5층. 충분히 핸드폰을 박살 낼 수 있을 것이다.
나는 창문을 열어 그것을 던졌다.
정말 강렬히.

나는 식탁에 앉아서 일기장을 폈다.
일기장에는 그냥 한 줄만 대충 쓰고, 나에게는
더 중요한 무슨 종이가 있다.
무슨 종이인지는 뻔하다.
난 종이 위에 단어들을 차곡차곡 모았다.
난 단어 하나하나 신경을 썼다.
다행이게도, 병원에서 계속 글을 쓴 경험이 있고, 그 아이의
문학적인면도 약간은 배워서, 글의 목적과는 다르게도.
아름다운 글이 되었다.
이것도.. 저것도.. 저 단어도.. 저 문장도.
참으로 좋다. 좋았다.

드디어 때가 되었다.
나는 저 종이를 식탁에 살포시 올렸고, 부엌 싱크대 밑에서

무엇인가를 꺼냈다.
바로. 칼이였다.
나는 예전부터 궁금했었다.
어떻게 사람 몸 안에 내장과 심장 피, 그리고 머리에는 뇌가..
다 들어있는지.
위, 심장, 간, 동맥, 정맥, 갈비뼈, 피, 모세현관, 아래로는 자궁까지
모든 것이 전부 다.
정말 신기하고 궁금했었다.
정말 다 굽이굽이 들어가져 있는 것일까?
만약 그렇다면, 어린이처럼 촉감놀이하기 아주 좋겠다.
나는 그 궁금함을 체험. 하기 위해 지금까지 살아왔다.
...
아니. 내가 살아 온 이유가 그런 것인가.
뭐, 내가 생각하면 그런 것이지만, 만약 그렇다 하면
갑자기 내 머리 속에서 사람들이 밀려온다.
엄마, 선생님, 반 친구들, 이종현...
박유환.
그래 박유환, 박유환, 난 드디어 박유환의 이름을 말할 수 있게
되었다.
말하면 말할수록 구역질이 나고 속이 안 좋아지던 그 이름.
아, 나도 이제 성장한 것일까.
너무나 행복했다. 이 행복을 어찌할바 몰랐다.
그러면, 이제.. 박유환의 이름도 불렀으니.
그를 만나고 싶다.

나는 연약하고 아픈 손목으로 칼로 배를 찔렀다.
총 세 번. 손목이 나갈 정도로 쿵. 쿵.
내 배에서 피와, 약간의 작은 장기들이 튀어나오는 것을 느꼈다.

배가 찢어지는 고통에, 본능적으로 발버둥을 쳤다.
흘러나오는 내 몸 속을 보며.
머리가 아파오고, 정신이 없어진다.
기침을 하니까, 입에서도 피가 나온다.
엄청난 고통에 쓰러지려고 하니까. 식탁에 머리를 엄청나게 부딪혔다.
아, 어찌 이렇게 아프고, 슬프고, 화나고, 고통스러운가.
이제 더 이상 나올 피도 없다 싶을 정도로 내 모든 심경이
혼매해질 때,
어떤 한 빛을 보았다. 눈이 부셨다.
환상이란 것은 정말로 존재 하는 것이였구나..
얼굴에 마비가 왔지만, 애써 큰 웃음을 지었다.

그리고 마지막으로, 내 최대의 힘을 다 하여,
이렇게 중얼거렸디.
너무나 어려운 내 영원아. 나에게는 멀고 먼 나의 영원아.
어리석고도 바보같은 철없는 나의 영원아.
그러나 이제는, 이해할 수도 있을 거 같은 나의.
영원아.

.작가의 말

이 책을 거의 다 쓴 저의 시점에서는,
곧 여름이 지나고 가을이 옵니다.
여러분의 이번 여름은 아름다우셨는지요.
15살. 만 14세의 어린나이에 이 책을 쓰는데 5개월이 걸렸습니다. 저의 첫 작품을 완독하신 여러분께 묻고싶습니다.
당신의 젊음은 썩지 않고 잘 나아가고 있나요?

저는 이 책을 평범한 '로맨스 소설' 이라고 생각하지 않습니다.
저는 이 책을 사랑에 빗댄 우리의 피폐함과 우울. 이라는 생각이 듭니다.
또한 이 책의 매력은 '작가의 말을 읽고 다시 한 번 더 읽는 것' 과, '몰입성과 인물의 섬세한 심리 표현'
으로부터 온다고 맹세코 다짐할 수 있습니다.

이 책을 독자들이 더 잘 이해할 수 있게, 실제 사람들의 이름을
등장인물의 이름으로 하거나, 중간중간 욕도 나오는 대사. 등등..

저는 엄청나게 이 책에 대해 신경을 썼습니다.
다만, 이 책을 읽을 때, 약간 혼란스러운 면이 없지 않아 있습니다.

이 책 <영원아.> 의 제목은 주인공의 이름 '영원아', 그리고
나의 '영원'아. 이런 식으로 이중적인 의미를 가지고 있습니다. 마지막에 주인공 영원아가 자신의 영원을 부르는 것으로,
그런 의미는 더욱 강조되고 있죠.
주인공 '영원아'는 무소속 청소년 싱어송라이터로,
어른이 되면 소속사를 가지고 정식적으로 자신의 꿈을
인정받는다는 꿈을 가지고 있습니다. 그러나 그녀는 갑작스레 약해져버린 멘탈과 건강으로, 자신의 꿈을 포기하고
그냥 정석대로. 보통 사람들과 같은 루트로. 걸어갑니다.
그때 남자주인공 '박유환'의 시점으로 가봅시다.
원아의 몸과 마음이 불행으로 차올랐을 때, 박유환은
자신의 아버지가 자살을 하는 끔찍한 환경에 마주합니다.
자살을 하는 동기? 그것은 분명합니다. 사채업자에게 쫓기고
있었기 때문이지요.
그래서 박유환의 가족은 생명의 어지러움을 느껴, 박유환은
결국 자신의 크나큰 꿈이였던 기타리스트를 포기합니다.
그는 언제나 힘들 때 듣던 영원아의 신곡을 찾지만,
영원아는 이미 도망친지 오래였습니다.
그것을 눈치 챈 박유환은 작년부터 목소리로 눈여겨 본 같은학교 학생인 '영원아'를 3개월동안 찾아다녔지만
그녀는 우연찮게도 3개월동안 학교에 나오지 않았습니다.
그리고 3개월 후, 원아를 만난 박유환은 자신의 또 다른 꿈을
이루는 행동을 합니다. 바로 '천재와의 합작'입니다,
자신의 또 다른 꿈을 허락받은 그, 너무나 행복해 보입니다.
그리고 서로의 아픔을 알고 공감하다보니까. 그들의 관계는

빠르게 발전했습니다. 무려 만난지 이틀만에 사귀는 다소 파격적인 선택이였죠.

그런데 왜. 하필이면 행복할 때 불행이 찾아오는 걸까요.
해외로 도망다닐 신세에 처해버린 박유환은, 건강했던 정신이 다시 마비가 되어버립니다.
그리고 그는 학교에서 목을 매달아 자살을 하고,
영원아는 그것을 목격해 충격을 먹고서, 3개월 뒤에 자신도 박유환의 곁으로 도망가기 위해, 자살을 합니다.

그런데 여러분. 너무 부자연스럽습니다.
아무리 아프고 쓰린 청춘이라고 해도, 한 달동안 사귄 애인이 자살하였다고 해서 자신도 똑같이 자살을 할 수 있을까요?
십중팔구 못 할 것입니다. 이 책을 쓴 저라도, 그런 것은 못 합니다.
그럼 저는 도대체 왜.. 이런 스토리를 지은 것일까요.

여러분. <로미오와 줄리엣>을 아십니까? 당연히 아실 거라 생각합니다. 저는 이 <로미오와 줄리엣>을 너무나도 좋아합니다.
문학적으로도 완벽한 면이 있으면서도, 재미있고.. 무엇보다 로미오와 줄리엣은 '낭만'과 '동심'과 '운명'이 있습니다.
로미오와 줄리엣이 서로 만나고 죽은 시간이..
무려 일주일 밖에 안 되었습니다.
그러면 이들은 그저 14~17 살이란 어린 나이에 서로가 진정한 '운명'적인 사랑이라고 착각을 해서, 그런 짓을 버린걸까요?
제 생각으로는. 아닙니다.
그들의 사랑은 착각이 아니였습니다. 그들은 진정히. 서로를 사랑했습니다. 그저 함께한 시간이 짧을 뿐이고,

그저 '낭만'적이게 행동을 한 것 뿐입니다.
그런 그들을 보며 '어린 나이에 철없이 저런 행동을 저질렀네'
라고 생각을 한다면, 그것은 곤란하다고 저는 생각합니다.
그들은 그저. 14~17살. '동심을' 한껏 품고있는 상태에서
사랑을 확신한 겁니다.
우리의 마음은 지금 깊이, 썩어져 있습니다.

그렇다고 해서 제가 '사랑하는 사람을 위해 죽어라!'
라고 말하는 것은 또한 아닙니다.
제가 말하고 싶은 것은 이것입니다.

우리를 행복하게 하는 '낭만'과, 긍정적이면서도 즐겁게
생각을 하게 만드는 '동심'과, 여러분을 웃게 만들 '운명'.
이것을 잘 품고 삶을 사십시오.
그리고 역시나 그런 마음으로 한계를 뛰어넘으면서,
박유환과 영원아처럼.
그러면 어느새 우리들의 썩은 낭만과 동심과 운명이.
다시 움직일 수 있을 것입니다.

박유환은, 환상적인 목소리로 이렇게 말한 것... 같다.
“그래도 나, 너 없으면 안될 거 같아.”
나는 이렇게 대답을 했다.
“그런건 낭만적인 운명 같아.”

<영원아.>